从景点旅游走向全域旅游

（2016）

国家旅游局 编

中国旅游出版社

出版说明

党中央、国务院高度重视旅游业发展。2015年，习近平总书记在《中共中央关于制定国民经济和社会发展第十三个五年规划的建议》中明确提出“要大力发展旅游业”，对厕所革命和文明旅游工作作出重要批示。李克强总理在中央经济工作会议上把“促进旅游消费”摆在扩大内需的首位，要求“顺势而为促进旅游消费”。习近平总书记、李克强总理、汪洋副总理等党和国家领导人多次出席旅游活动，多次做出重要批示和指示。2016年1月18日，李克强总理再次做出重要批示，充分肯定2015年全国旅游工作，对2016年旅游工作提出明确要求。2015年12月和2016年1月，汪洋副总理专门听取国家旅游局党组汇报，主持召开国务院旅游工作部际联席会议第三次全体会议，对全国旅游工作作出具体部署。这些都给行业上下以极大的鼓舞和鞭策，增强了我们的产业自信、行业自信和事业自信。

2016年1月29～30日，全国旅游工作会议在海南海口召开，会议以“从景点旅游走向全域旅游——努力开创我国‘十三五’旅游发展新局面”为主题，贯彻落实党的十八大和十八届三中、四中、五中全会及中央经济工作会议精神，总结2015年全国旅游工作，分析当前国际国内旅游发展形势，谋划“十三五”旅游发展思路，安排2016年工作。

本书收录了2016年全国旅游工作会议工作报告、专家学术报告、部分省区市领导发言、分组讨论发言和会议总结，以供大家更好地了解“515战略”落地实施一年来的阶段性成果，明确“515战略”攻坚克难之年——2016年的改革思路和工作举措，不断创造惠及广大人民的发展成果，奋力开创我国“十三五”旅游发展新局面！

目 录
CONTENTS

第四篇　分组讨论发言

第五篇　2016 年全国旅游工作会议总结

第一篇

2016年全国旅游工作会议工作报告

从景点旅游走向全域旅游 努力开创我国“十三五” 旅游发展新局面

——2016年全国旅游工作会议工作报告

（2016年1月29日）

李金早

经国务院批准，今天我们在海口召开全国旅游工作会议。会议的主要任务是贯彻落实党的十八大和十八届三中、四中、五中全会及中央经济工作会议精神，总结2015年全国旅游工作，分析当前国际国内旅游发展形势，谋划“十三五”旅游发展思路，安排2016年工作。

出席会议的有中国旅游智库主要负责同志，部分全国旅游综合改革试点省份的分管领导，各省区市和新疆生产建设兵团旅游部门主要负责同志，副省级城市、部分重点旅游城市旅游主管领导，全国人大、中宣部、中央网信办、国家发改委、财政部、工信部、商务部、国土资源部、环保部、交通部、审计署、国务院法制办、国家中医药局、中国行政体制改革研究会等单位代表，部分重点旅游企业、专家学者，国家旅游局机关各司室及直属单位、旅游协会、驻外办事处主要负责人。会议得到了海南省委省政府的大力支持。

党中央、国务院高度重视旅游发展，一年来习近平总书记多次出席旅游活动，多次做出重要指示和批示。李克强总理再次做出重要批示，充分肯定2015年全国旅游工作，要求把旅游业作为发展现代服务业的重要抓手，更好激发旅游消费对经济增长的拉动力，充分发挥乡村旅游对贫困地区脱贫致富的带动力，不断提升美丽中国的展现力，为建设世界旅游强国做出新贡献。最近，汪洋副总理主持召开国务院旅游工作部际联席会议第三次全体会议，对今年全国旅游工作提出明确要求。这些都给行业上下以极大的鼓舞和鞭策，增强了我们的产业自信、行业自信和事业自信。

现在，我主要讲四个方面。

一、2015年全国旅游工作回顾

2015年，在党中央、国务院的正确领导下，我们主动适应经济发展新常态，改革创新，积极实施旅游业“515战略”，紧紧围绕“文明、有序、安全、便利、富民强国”五大目标，实施10

项重要工作，推出52项具体举措，**取得55项重点突破，我国旅游发展正在实现六大转变：一是**旅游从经济建设的边缘向主战场转变，**二是**旅游从外交的边缘向前沿转变，**三是**旅游市场秩序监管从被动应付、单独行动向主动出击、综合治理转变，**四是**文明旅游从行业行动向社会广泛关注和参与转变，**五是**旅游发展正从传统模式向创新推动转变，**六是**旅游工作从部门推动向党委政府全方位推进转变。旅游工作取得了阶段性成绩，有效发挥了旅游在稳增长、扩内需、促改革、惠民生方面的积极作用。

（一）坚持问题导向，依法整治旅游市场秩序

2015年，我们把整治不合理低价游、强迫购物等游客反映强烈的突出问题作为重点：**1. 制定并实施《依法治理旅游市场秩序三年行动方案（2015年）》**。组织“秩序”、“治黑”、“清网”、“督查”、“规范”5个专项行动。**2. 建立“万名社会监督员”制度**。来自人大、政协、政府、企业、媒体、院校等各方面的万名旅游服务质量社会监督员上岗履职。开通“我要投诉举报”平台，接受全国游客投诉。**3. 建立5A级景区退出机制**。首次取消游客反映强烈的5A级景区资质，严重警告或警告问题突出的16家5A级景区。**4. 建立督查督办机制**。我们在昆明召开全国旅游市场秩序治理工作专题会议，提出11条具体要求，派出23个工作组分赴云南、湖南、海南、广东、广西、山西等12个省区市督查督办。**5. 建立部门联动机制**。与发改委联合开展门票价格专项整治工作，推出1800多家“全国旅游价格信得过景区”承诺单

位，2000多家5A级、4A级景区签订“三年不上涨门票价格”承诺。会同公安部、工商总局联合开展全国治理规范旅游市场秩序行动。与商务部、质监总局、工商总局联合开展旅游商品质量督查检查。**6. 加强导游权益保障和旅游诚信体系建设。**国家旅游局、人力资源和社会保障部、中华全国总工会联合下发《关于进一步加强导游劳动权益保障的指导意见》。实施旅游经营服务“黑名单”制度，设立“曝光台”。2015年10月，国家旅游局公布了首批全国旅游经营服务不良信息名单。**7. 建立约谈机制。**约谈发生重大旅游投诉、存在不合理低价游、违法一日游等问题的旅游企业。督查督办并及时曝光6批12个重点旅游投诉案件。**8. 实施《景区最大承载量核定导则》，**集中公布5A级旅游景区最大承载量，引导景点景区科学管理、合理调度。

各地积极履行监管主体责任，北京市打击“黑一日游”，近百涉案人员被抓。天津市深入开展“品质旅游伴您行”活动。浙江省推进景区整治与提升。江苏省旅游、工商、质监等部门联合开展省级旅游购物诚信街区和旅游购物诚信商店创建工作。云南省与各州市签订“责任状”，对问题突出的地方进行约谈。江西省疏堵结合，努力构建旅游市场新秩序。新疆生产建设兵团普及旅游投诉与案件办理系统，使用率达100%。黑龙江省全力整顿冰雪景区存在的违法违规、扰乱旅游市场秩序行为。

（二）坚决惩治旅游不文明行为，营造文明旅游大环境

习总书记指示“要像反对‘四风’一样，下决心整治旅游不

文明的各种顽疾陋习”。这给予我们极大的鼓舞和力量，更深感责任重大。

我们坚持一手抓正面宣传引导，一手抓监管惩罚，充分调动社会各方力量参与，共同营造文明旅游大环境。开始改变文明旅游工作无手段，不文明行为无人管的局面：**1. 首次实施“游客不文明行为记录”**。制定并实施《游客不文明行为记录管理暂行办法》，强化对不文明游客的制度约束。公布4批游客不文明行为记录，起到了一定的震慑作用。**2. 成立“中国旅游志愿者”队伍，做好典型示范**。目前，全国已有225个城市的11万旅游从业人员注册成为中国旅游志愿者，累计服务1万多小时。计划用三年时间，注册人数超过100万人。**3. 开展系列活动，注重宣传引导**。开展了“万名大学生文明旅游背包行”、“文明旅游随手拍”、“寻找最美导游”、“2015中国好导游、中国好游客”、“文明旅游公益广告宣传”等系列活动。**4. 动员社会广泛参与，传递正能量**。组织“文明旅游百日百题”有奖竞答，吸引超过10万人次网民参加。开展“中国公民文明旅游公约大家定”活动，让游客共同参与，增进大众的文明价值认同。**5. 实现信息共享，做好统筹联动**。发挥国务院旅游部际联席会议作用，加强与新闻出版广电总局、民航局等单位沟通配合，积极与航空公司、外国驻华使领馆实现游客不文明记录联网，增强硬约束。与工信部合作，中国公民一到境外就能收到国家旅游局“三讲三不”文明旅游提示。各地也纷纷行动，北京、湖南、湖北、海南、福建、贵州、江西、宁夏、西藏等地积极开展文明旅游专项检查及宣传工作。甘肃省将文明旅游工作纳入省政府与各市州政府目标责任考核内容。河南省制定全面推动文明旅游工作的十项工作制度。

2015年以来，出境游客随地吐痰、大声喧哗等不文明行为有所减少，游客文明素质有所提升，还涌现出一批举止文明、热心公益、乐于助人的“中国好游客”。湖北游客高秋玲、北京游客胡大一和广西导游刘萌刚、宁夏导游李玲玉入选首届中国旅游十大新闻人物。美国、西班牙、泰国、新加坡等国旅游部门表示，绝大多数中国游客是文明的，个别不文明行为不应贴标签、被夸大。美联社、英国《金融时报》、韩国《京畿新闻》等国外媒体指出，游客不文明行为对国家形象造成损害在各国都是现实存在的，中国政府为制止旅游不文明行为所采取的措施值得世界各国借鉴学习。

（三）在全国范围掀起厕所革命

习总书记去年4月1日关于厕所革命的批示和7月16日在延边调研时提出“农村也要来场厕所革命”的号召，掀起了全国厕所革命的高潮。这在共和国历史上是第一次。

厕所脏乱差少偏，是游客和群众反映最强烈的问题之一，是城乡公共服务最薄弱的环节，也是转变干部作风的重要突破点。2016年春节后上班的第一天，我们就在桂林召开了厕所革命现场会。全年上下行动，创新工作，既提供标准示范又因地制宜推进，既做好政府引导又鼓励以商养厕，既解决基本需求又注重技术改造，强力推进厕所革命。截至2015年12月底，各地已完工的厕所达 22009 座，占全年总计划的 104.67%。我们重点在五个方面下功夫：**1. 努力解决认识问题。**组织全行业深入学习贯彻习总书记的重要批示，要求将厕所革命作为旅游基础工程、文明工程、民生工程来抓。大多数地方成立了厕所革命领导小组，制定出台了行动方案。**2. 努力解决不知道怎么建的问题。**先后编制了《厕所建设管理三年行动方案》、《2015 年全国旅游厕所新建、改扩建计划》、《旅游厕所建设管理指南》，修订《旅游厕所质量等级》国家标准，引导各地因地制宜，重在实用、干净、卫生，不搞不切实际的形象工程。举办"厕所设计大赛"、"旅游厕所专题展"等活动，引导推进厕所技术革命。海尔、美的、光大置业水务集团等积极参与技术研发。**3. 努力解决政策、资金支持不够的问题。**在《国务院办公厅关于进一步促进旅游投资和消费的若干意见》（国办发〔2015〕62 号）中，将大力发展旅游厕所作为实施旅游基础设施提升计划之一。我们与国土资源部、住建部联合印发《关于支持旅游业发展用地政策的意见》，明确提出三条政策措施加大对旅游厕所用地保障。与财政部认真调研，安排国家旅游发展基金 4.8 亿元重点支持地方厕所革命，占全年旅游发展基金地方补助资金的 60%。**4. 努力解决谁来建、谁来管的问题。**我们重点推动"以商建厕、以商管厕、以商养厕"模式创新，鼓励企业以承包经营、广告授权、商业冠名等方式，推进厕所建设管理的长效化、品牌化、市场化，并探索建立以厕所为依托的新型社会公共服务平台。**5. 努力解决厕所维护难的问题。**重在倡导文明如厕，营造"厕所既是建设者、管理者的责任，也是使用者的责任”的舆论氛围，策划组织“厕所革命万里行”、“世界厕所日暨中国厕所革命动员日”等系列活动，在各大网站开设厕所革命在线访谈，推动广大游客尊重他人劳动成果、养成文明如厕习惯，形成健康向上的厕所文化。

2015年，全国共有26个省区市以及新疆生产建设兵团的党委、政府主要领导就厕所革命做出批示，纷纷成立厕所革命工作领导小组等。9个省份竣工厕所数量超过1000座，20个省份竣工厕所达到500座以上。其中山东达1792座，吉林达1380座，浙江达1270座。海南省从省政府层面争取到1500万元厕所建设专项资金，引导企业投资近亿元。山东省安排“两区一圈一带”财政资金中的30%（约2亿元）用于厕所改扩建。河北省安排补助资金6400万元建设厕所342座。北京、四川、广西等地积极开展“以商养厕”的有益尝试。吉林省成立厕所革命专家督导组，设立厕所革命示范奖。辽宁省制定鼓励建设管理的财政资金安排计划和管理方法。甘肃把厕所革命作为“文明城市（单位）”、“卫生城市（村镇）”、“生态乡镇（村）”、“A级旅游景区”等创建活动的必备要素，实行“一票否决制”。

厕所革命在国内外引起普遍关注和积极反响。英国《金融时报》、《每日邮报》、《每日电讯报》，美国《洛杉矶时报》，法国《费加罗报》，印度《印度时报》等海外媒体纷纷报道中国厕所革命。有印度网民感慨“什么时候我们也能来场厕所革命！”比尔·盖茨基金会主动与我们联系，愿为我西部地区厕所建设提供技术和资金援助。国内各大媒体对厕所革命进行系列追踪报道，广大游客和民众充分认可，认为厕所革命满足百姓实际需求，体现了以人为本、建设服务型社会的执政理念和求真务实的工作作风。在人民网盘点习总书记2015年20个新热词中，厕所革命列第九。厕所革命也位列我们首次推出的2015中国旅游十大新闻之首，同样，厕所革命也入选我们首次推出的2015世界旅游十大新闻。

（四）大力发展乡村旅游，开创性地推进旅游扶贫

2015年，我们按中央要求，以主动担当精神，把旅游扶贫攻坚作为历史使命和政治责任，充分发挥旅游业特殊优势，支持国家重点扶贫县2000个贫困村通过旅游脱贫，并会同国务院扶贫办主动提出“十三五”期间承担全国1200万贫困人口通过旅游脱贫的目标任务，占全国7107万贫困人口的17%。

我们聚焦发展乡村旅游，推动精准扶贫、精准脱贫：**1. 建档立卡，打牢基础**。会同扶贫办共同遴选出560个建档立卡贫困村试点开展乡村旅游扶贫。从全国832个扶贫重点县和片区县中挑选出6130个具备发展乡村旅游基本条件的行政村，作为旅游扶贫工作重点村。**2. 做好试点村旅游规划，开展村官集中培训**。组织全国旅游规划资质单位对560个试点村开展旅游规划公益扶贫行动。分四期培训1200个贫困村的村长（支书）。**3. 召开旅游扶贫大会，实施旅游富民工程**。与扶贫办在黄山召开乡村旅游和旅游扶贫促进大会，推出8项具体政策措施，推进5种方式脱贫，即直接参与旅游经营，在乡村旅游经营户中参与接待服务，出售

自家农副土特产品获得收入，通过参加乡村旅游合作社和土地流转获得租金，通过资金、人力、土地参与乡村旅游经营获取入股分红。**4. 推出乡村旅游“千千万万”品牌，做好示范引领。**推出首批中国乡村旅游创客示范基地，表彰千家乡村旅游模范村和千家乡村旅游模范户、万家金牌农家乐和万名乡村旅游致富带头人。各地因地制宜，加强分类指导。西藏自治区遴选出151个美丽乡村旅游扶贫工程重点村，分批进行精准扶贫。安徽省开展旅游小额信贷试点，加大对乡村旅游业的信贷支持。重庆市编制完成14个国家级贫困区县的旅游发展规划，进行对口帮扶。内蒙古免费为试点村提供旅游规划指导、旅游项目策划、旅游商品研发等服务。山西省安排乡村旅游专项资金，改善乡村旅游示范点和扶贫试点的公共基础设施。青海省以旅游业带动少数民族地区脱贫致富。

（五）出政策、强措施，进一步优化旅游投资和旅游消费环境

2015年旅游业直接投资首次超万亿元，达10072亿元，同比增长42%，增幅扩大10个百分点，高于全国固定资产投资和第三产业投资增速30个百分点。在全国固定资产投资增速下滑、国内经济下行压力加大的情况下，旅游投资持续强劲增长，成为促进经济增长、扩大消费供给的重要动力。全国旅游投资呈现六大特点：**一是民营投资快速增长。**民营企业投资超过5700亿元，占全部投资的比重为57%，同比增长39%。**二是西部地区旅游投**

资快速增长，全年完成旅游投资超过 2700 亿元，占全国的 27%，比去年提高 10 个百分点。**三是乡村旅游和休闲度假开发成为投资热点**。全年乡村旅游实际完成投资 2612 亿元，同比增长 60%；海洋旅游和邮轮游艇等中高档旅游产品投资增幅均超过 60%。**四是在线旅游投资持续升温，“旅游 + 互联网”进程加快**。全年在线旅游投资超过 770 亿元，同比增长 42%。**五是大型集团企业加速进军旅游业，跨行业投资显著增长**。2015 年，百度、阿里、腾讯三大互联网巨头投资旅游业累计超过 160 亿元；万达集团与四川、广西、辽宁、重庆、河南、云南等省份签署战略合作协议，计划在文化旅游领域投资超过 7000 亿元。**六是旅游企业并购重组和“走出去”步伐加快**。首旅集团 150 亿元收购如家酒店集团，锦江集团 100 亿元战略投资铂涛酒店集团。

在促进旅游投资和旅游消费方面，以下六点尤其突出：**1. 李克强总理主持召开国务院常务会议，审议并通过《关于进一步促进旅游投资和消费的若干意见》**，国家第一次实施旅游投资和消费促进计划。**2. 国家旅游局与国土资源部、住建部联合印发《关于支持旅游业发展用地政策的意见》**。提出 12 条措施，缓解产业用地瓶颈，特别为乡村旅游用地、农村“旅游 + 金融”打通了政策渠道。**3. 贯彻落实《国务院关于加快发展旅游业的意见》、《国务院关于促进旅游业改革发展的若干意见》**。会同发改委对相关部门和各地贯彻落实情况联合开展督查督办。**4. 加大旅游投资支持力度**。协调发改委分两批、共安排 200 亿元专项建设基金，支持旅游业发展。协调财政部将旅游发展基金延长至 2020 年，加快推动设立中国旅游产业促进基金。会同工信部等出台《关于促进旅游装备制造业发展的实施意见》。会同财政部、海关总署、税务总局等推动落实境外旅客购物离境退税政策，研究新增进境口岸免税店，在北京、上海第一批实施离境退税政策后，新增天津市、辽宁省、安徽省、福建省、厦门市和四川省六省市。**5. 首次召开旅游产业促进座谈会。**推出“中国旅游产业杰出贡献奖”（飞马奖），与国家开发银行等六大银行签署战略合作协议，推出全国650个优选项目，总投资超过1.4万亿元。**6. 首次推出十大类“百金百银”中国特色旅游商品，**积极扩大旅游购物消费。各地进一步加大工作力度。上海市利用自贸试验区推进产业融合。广东省出台《关于切实加强海岛保护有序发展海岛旅游的意见》。广西壮族自治区安排旅游发展资金6亿元，同比增长16%。吉林省重点推进旅游大项目和基础设施建设，在建旅游项目314个。贵州省旅游发展专项资金每年递增2000万元，2015年达到2亿元。陕西省设立陕西旅游产业发展基金，前期募资规模达50亿元。新疆维吾尔自治区突出“一带一路”重点旅游项目建设。

（六）开创旅游外交新局面，主动服务国家外交战略

2015年，旅游外交以“中国特色大国外交”为指引，全方位、多层次推进，开局成果丰硕。**1. 努力开创旅游高层交往新局面。**习近平主席亲自出席“中日友好交流大会”并发表重要讲话，访美期间对外宣布互办“中美旅游年”，先后向韩国旅游年、

印度旅游年发贺信。李克强总理、汪洋副总理分别出席在韩国举办的“中国旅游年”开闭幕式。在国家领导人的见证下，我们先后与亚美尼亚、波兰、捷克等国签署了15个旅游合作协议和备忘录。**2. 服务国家战略拓展旅游外交空间。**召开丝绸之路旅游部长会议暨第七届联合国世界旅游组织丝绸之路国际大会，创新与沿线国家地区合作机制。**3. 务实推进国际交流合作。**会同外交部推动9个国家对我游客实施免签或落地签便利化政策。与埃及总统、哥斯达黎加总统等外国领导人和各国旅游部门负责人举行100多场外事活动。通过联合国世界旅游组织大会第21届全体大会等平台，讲好中国故事，传递中国声音。**4. 首次评出世界旅游十大新闻。**这是地球村的许多人，尤其西方人，第一次听到来自东方，尤其来自中国关于世界旅游大事的声音。实践表明，一系列高规格多层次的旅游外交举措，为深化我国对外人文交流发挥了积极作用，加快了旅游从外交边缘向外交前沿的转变。旅游外交得到中央外事工作领导小组办公室和外交部的大力支持！

（七）加强宣传推广，奋力开拓旅游市场

针对入境旅游市场下行压力大、形势复杂的局面，主动作为，精准施策。**1. 做好“美丽中国”品牌推广。**制定《“一带一路”旅游宣传推广三年活动方案》，设计180项重大活动。组织赴境外参加了25个国际旅游展，举办5场大型旅游促销活动，邀请100余批次2000多名旅行商和媒体来华踩线采访。**2. 培育旅游消费新热点。**推出丝绸之路等十大旅游精品线路。**3. 探索宣

传推广新方式。成立了长江三峡、香格里拉、世界遗产等 10 个旅游宣传推广联盟。**4. 运用智慧旅游新手段。**升级中国旅游海外推广网站，加快制作电子化旅游宣传品，实施网络精准营销。**5. 推动出台旅游新政策。**会同相关部门，进一步扩大外国人 72 小时过境免签入境便利化措施、境外游客离境退税政策实施范围。

（八）推进“旅游 +”，实施“旅游 + 互联网”战略

1. 提出“旅游 +”理念。“旅游 +”代表新的经济形态、新的生活形态、新的社会组织和新的先进生产力。推动旅游业加速与一、二、三产业融合发展，与新型工业化、城镇化、信息化、农业现代化紧密结合，不断催生新产品、新业态，拓展旅游产业面，拉长旅游产业链，形成现代旅游产业集群。**2. 召开首届“旅游 + 互联网”大会。**与中国电信、中国移动、中国联通和阿里、腾讯、百度三大互联网企业分别签订战略合作协议，发布《“旅游 + 互联网”行动计划》，发表《促进“旅游 + 互联网”融合发展常州共识》，提出未来五年中国“旅游 + 互联网”将创造“3 个 1 万亿红利”。**3. 下发《关于促进智慧旅游发展的指导意见》，**分两批认定 33 个智慧旅游城市和 22 个智慧旅游景区。**4. 采用 PPP 模式推动建设“国家智慧旅游公共服务平台”，**首次实现 12301 旅游投诉热线全国统一受理，提升旅游公共服务水平。各地也开展了积极尝试。宁夏回族自治区重点建设旅游云数据中心，完善智慧管理、智慧服务和智慧营销体系。福建省启动智慧旅游云集群项目，规划建设旅游产业大数据等 5 个平台。

（九）加强统筹，积极推进旅游改革创新

1. 明确旅游改革目标任务。2015 年年初，国家旅游局成立旅游改革工作领导小组，从旅游市场监管、旅游公共服务、旅游产业促进、扩大旅游开放、旅游管理体制和基础制度 5 个方面提出 30 项改革任务。下放 3 个行政审批事项，改为后置审批 4 个。积极稳妥推进协会改革。**2. 启动旅游改革创新先行区工作。**在综合改革试点基础上，推出青岛、武汉等 20 个首批国家级旅游改革创新先行区。**3. 落实和完善国家自由贸易实验区框架下旅游支持措施。**协调解决上海、福建、广东、天津自贸试验区涉旅政策问题。**4. 推动沿边地区旅游有序开发开放，**确立跨境旅游合作区和边境旅游特区政策。**5. 各地加快旅游综合管理体制改革创新。**去年贵州、湖北、四川、宁夏旅游管理体制改革取得重要突破。截至目前，全国已有 10 个省区市实现旅游综合管理体制改革创新。同时，三亚、桂林、厦门、乐山、栾川等地率先设立旅游警察。上海、三亚、张家界还设立了旅游巡回法庭。

（十）旅游对港澳台工作取得新进展

1. 积极服务国家战略。全面落实 CEPA 涉旅政策，基本实现内地与港澳旅游服务贸易领域自由化。与澳门特区政府签署了《内地与澳门关于建立促进澳门世界旅游休闲中心建设联合工作委员会的协议》。出台《关于支持中国（福建）自由贸易试验区旅游业开放意见》，放宽台资旅行社经营业务范围，开放台胞从

事旅游职业。指导福建省制定平潭国际旅游岛建设方案和旅游规划。**2. 提升交流合作水平。**举办第 7 届海峡两岸旅游交流圆桌会议、第 18 届海峡两岸旅行业联谊会、第 4 届澳门世界旅游经济论坛、香港旅游业可持续发展研讨会。新增赴台个人游城市 11 个和赴台游组团社 40 家，赴台个人游城市和赴台游组团社分别累计至 47 个和 314 家。推动实施台车入闽自驾游常态化。**3. 加大市场开发力度。**组织开展了美丽中国—2015 丝绸之路旅游年港澳地区主题宣传推广系列活动、美丽中华—绚丽甘肃丝绸行暨甘台旅游交流合作活动，举办了第 11 届海峡旅游博览会，参加第 29 届香港国际旅游展。组织实施“万名港澳台青少年赴内地（大陆）游学工程”，成立“内地游学联盟”和“台湾观光教育学会大陆游学委员会”。

（十一）强化旅游安全保障，创造安全舒适旅游环境

1. 推进旅游安全法制机制化建设。修订完成《国家旅游局应对涉旅突发事件应急预案》、《高风险旅游项目目录研究》等课题，持续推进《旅游安全办法》制定工作。**2. 围绕重点领域、重点节点、重点时段部署开展系列旅游安全大检查活动。**组织召开“2015 全国旅游安全工作会议”，专项部署安全工作，落实责任主体，强化安全意识。开展“安全生产月”、“安全万里行”活动，抓好重点时段重点区域的安全检查。及时发布旅游安全预警提示。**3. 配合做好境内外涉旅突发事件的处置工作。**做好 4 · 25 尼泊尔地震、“中东呼吸综合征”等应急处置。**4. 完善旅游保险。**完

善旅行社责任保险全国统保示范项目，持续推进出境旅游保险保障体系建设。

（十二）借助外脑，建立旅游智力与人才支撑体系

1. 首次与中组部、国家行政学院举办省部级干部“促进旅游业改革发展”专题研讨班，同步举办厅局级干部专题研讨班。汪洋副总理亲自出席并作重要讲话。**2. 成立中国旅游智库、中国旅游改革发展咨询委员会**，充分调动和发挥社会智力支撑作用。**3. 实施“万名旅游英才计划”**。从2015年起用3年时间分批遴选、培训万余名旅游相关专业的教师、学生，以及旅游企业拔尖骨干管理人才和高级技术技能人才。**4. 联合教育部出台《加快发展现代旅游职业教育的指导意见》**，开展第三批旅游业青年专家遴选工作，完成对中高级导游等级教材、考试大纲修订及导游等级考试工作。**5. 启动中高级导游“云课堂”研修项目**，组织中高级导游登陆国家旅游局组织开发的远程培训平台“云课堂”进行在线学习。截至2015年年底，“云课堂”总访问量74132人次，总学习时长1.44万小时。**6. 开展旅游人才援疆援藏行动**。召开“全国旅游援疆工作会”，推出人才扶疆等十大举措支援新疆旅游发展。坚持“输血”和“造血”相结合，开展以导游援藏为先导的旅游人才援藏工作，2003 ~ 2015年共选派近700名外语导游进藏工作。

（十三）提升红色旅游水平，促进老区经济社会发展

2015年红色旅游年接待人数突破10.27亿人次，同比增长

13.23%；综合收入突破2611亿元，同比增长15.3%；直接就业140万人，间接就业540万人。**1. 认真学习贯彻习近平总书记关于发展红色旅游系列讲话重要精神。**编印《习近平总书记关于红色精神红色传统红色旅游系列重要讲话论述摘编》。召开学习贯彻习总书记系列重要讲话精神、推进红色旅游创新发展座谈会。据抽样调查，87.9%的游客对红色旅游有兴趣，感到收获大、受教育。**2. 成功举办"铭记历史、圆梦中华"红色旅游万里行等系列主题活动。**在全国旅游行业掀起纪念中国人民抗日战争胜利暨世界反法西斯战争胜利70周年的高潮，全国各地同步开展了400多项活动。成功举办了纪念长征80周年"薪火相传·再创辉煌"长征精神红色旅游火炬传递活动，历时3个多月，涉及全国15个省市，行程10000多公里。成功举办红色旅游故事大赛和全国大学生红色旅游线路设计大赛。**3. 推动红色旅游国际化。**在湖南湘潭与俄罗斯共同举办中俄红色旅游合作交流系列活动，向国际市场推出红色旅游精品线路。**4. 强化红色旅游扶贫功能。**选取旅游扶贫开发重点区域，重点扶持红色旅游基础设施建设、红色遗址遗迹保护、服务设施配套、红色文化展示等项目。实施红色旅游精准扶贫，扶持一批旅游脱贫带头示范户。

（十四）建立国家旅游数据中心，结束我国旅游统计体系缺失的历史

长期以来，我国旅游统计体系的缺失使得我们不能准确评估旅游业规模及其对经济发展的综合贡献；不能掌握旅游就业规模

及其在国家就业总量中的比重；不能解决“横向不可加，纵向不可比”的混乱状态，影响了各级政府和社会对中国旅游业的准确判断和科学评估，旅游管理部门自身关于旅游业影响相关行业的程度及其对经济社会发展的关联带动作用心中无数；不能使我国旅游统计数据与国际接轨，不能与国际组织和其他国家进行数据比较，不能取得在国际旅游数据领域的话语权。2015 年 5 月，国家旅游局数据中心筹建工作正式启动。在汪洋副总理的关心和中编办的支持下，12 月 3 日，国家旅游数据中心正式成立，开始全面梳理现行旅游统计体系存在的问题，努力构建全新旅游统计体系。海南、四川、湖北、广东、江苏、安徽等省正在积极筹建旅游数据中心。

（十五）主动发声，不断完善旅游宣传工作机制

1. 抓“机构”建设。成立国家旅游局新闻信息网络办公室，统一协调管理新闻宣传、舆情监测。组建旅游新闻宣传、旅游舆情顾问小组，召开首次旅游新闻宣传工作会议，初步形成了规范化的新闻管理系统和运行机制。**2. 抓“渠道”建设。**全面改版升级中国旅游网，提升旅游新闻传播时效。创建《中国旅游之声》和《旅游外交参考》，反映行业战绩、成为行业战报、借鉴国际经验、凝聚发展共识。搭建国家旅游局媒体微信群和 QQ 群，畅通信息沟通和反馈渠道。**3. 抓“内容”建设。**首次评出中国旅游十大新闻、世界旅游十大新闻、中国旅游十大新闻人物，发布全国涉旅负面舆情排行榜，受到党中央、国务院的高度重视和国内

外的普遍关注，其影响力远远超出旅游业界。围绕旅游业重点工作，主动与央视新闻联播、焦点访谈、晚间新闻、新闻直播室等栏目对接合作，在厕所革命、文明旅游、旅游扶贫、产业发展、市场秩序等方面策划了一批重大新闻题材，引起社会热议。全年共举办旅游新闻发布会28场，中央及各主流媒体对旅游业的报道量累计超过54万篇次，为旅游业赢得了良好的社会舆论氛围。

2015年我国旅游业继续实现稳步增长。**初步测算：**全年接待国内外旅游人数超过41亿人次，旅游总收入达4.13万亿元。其中国内旅游人数达40亿人次，国内旅游收入达3.42万亿元，同比分别增长10.5%和13.1%，居民出游率达到2.98次。全年接待入境旅游人数1.33亿人次，实现国际旅游收入1136.5亿美元，同比分别增长4.0%和7.8%；中国公民出境旅游人数达到1.2亿人次，旅游花费1045亿美元，同比分别增长12.0%和16.7%。全年旅游业对全国GDP的直接贡献为3.32万亿元，占GDP总量比重的4.88%；综合贡献为7.34万亿元，占GDP总量的10.8%。旅游直接就业2798万人，旅游直接和间接就业7911万人，占全国就业总人口的10.2%。

在党中央、国务院的坚强领导下，经过全行业的共同努力，我国旅游业全面实现“十二五”规划目标，胜利收官。国内旅游人数、国内旅游收入、入境旅游人数、国际旅游收入、出境旅游人数、旅游总收入、旅游直接就业等多项指标均超额完成。

回顾我国“十二五”旅游发展历程，特别是过去一年的工作，我们深刻地体会到：**一是我们的成绩离不开党中央、国务院的高度重视和坚强领导。**习近平总书记在《中共中央关于制定国民经济和社会发展第十三个五年规划的建议》中明确提出“要大力发展旅游业”。习近平总书记、李克强总理、汪洋副总理等党和国家领导人多次出席旅游活动，总书记、总理和其他中央领导在厕所革命、旅游外交、文明旅游、旅游扶贫、市场秩序、旅游投资消费等方面多次做出重要批示和指示。中央实施“旅游休闲消费提升工程”，国务院常务会议审定《关于进一步促进旅游投资和消费的若干意见》。党中央、国务院的高度重视和坚强领导，是旅游业发展的根本保障。**二是离不开横向协调合作，积极争取中央、国家各部门的大力支持和有机联动。**我们与中组部、中宣部、中央文明办、中编办、网信办、外交、发改、公安、财政、人力资源和社会保障、国土、住建、交通、农业、商务、文化、工信、海关、工商、统计、国台办、民航、外汇、扶贫办、全国总工会等诸多部门主动协调，在旅游扶贫、人才培训、旅游用地、旅游市场秩序整治、文明旅游、旅游统计、导游管理体制改革等方面，有效实现了资源整合、政策配套、部门联动。**三是离不开各地党委、政府的强力推动和开拓进取。**各地党政“一把手”及领导班子对旅游业在经济社会发展中的地位和作用的认识明显深化、重视程度明显提高，推动力度明显加大。**四是离不开坚持改革开放、开拓创新、充分发挥市场决定性作用。五是离不开业内业外方方面面的广泛参与、支持。**众人拾柴火焰高，各方积极参与，为旅游业创造了良好的社会发展环境。

二、“十三五”时期我国旅游发展面临的形势

科学制定“十三五”旅游规划、认真做好2016年旅游工作，必须深入分析和准确把握旅游业面临的国际国内形势。

当前，世界经济仍将延续疲弱复苏态势，不确定性、不稳定性比较大，新兴市场可能遭遇国际金融危机以来“第三波”冲击，出现突然性事件的可能性也比较大，国际安全形势比较紧张，国际关系复杂程度前所未有。在经济增长放缓的同时，发达国家的宽松货币政策转向正常，新兴市场国家加快经济发展方式转变、推进结构性改革，全球大宗商品价格从泡沫化状态回归正常，全球经济处于深度调整之中。与此同时，中国经济发展长期向好的基本面没有变，经济韧性好、潜力足、回旋余地大的基本特征没有变，经济持续增长的良好支撑基础和条件没有变，经济结构调整优化的前进态势没有变。但国内经济仍面临一些突出矛盾和问题，下行压力仍然较大，各种风险易发多发。

（一）全球旅游五大趋势值得重视

1. 各国纷纷制定旅游发展战略，以增强本国综合竞争力。世界已经进入“旅游时代”，旅游基本实现了休闲化、大众化和社会化，成为人们的一种普遍生活方式和基本权利。大力发展旅游业，正成为世界各国增强综合竞争力的战略决策。**一是**各国纷纷

将旅游作为推动经济发展的着力点。美国制定并实施《国家旅行和旅游发展战略》，日本实施“观光立国战略”，韩国确定战略性观光旅游产业培养方案，法国实施旅游质量计划，西班牙推出“地平线 2020”计划，德国、英国、俄罗斯、巴西、印度、南非等众多国家也纷纷实施国家战略，制定旅游促进法规、国家行动计划，成立多部门参与的旅游促进协调委员会，优先发展旅游业。**二是**旅游外交正成为各国元首外交的重要内容。他们纷纷将旅游作为促进国家间政治关系、经贸合作、人文交流和传播本国文化、展示文明成果、提升国家形象、增强国际影响力和文化认同感的重要载体。元首外交为旅游铺路，旅游为元首外交搭建舞台。**三是**各国纷纷加大对世界旅游市场份额的争夺。美国、加拿大、韩国、英国、印度等相继出台免签落地签、多次往返签证、电子签证等便利政策。同时，各国旅游市场营销手段灵活多样，扩展航线越来越多，免税政策越来越优惠，财税支持政策不断加大，纷纷打出国际旅游竞争的“组合拳”。

2. 世界经济复苏乏力，旅游业发展逆势而上。联合国世界旅游组织数据显示，2015 年上半年，国际游客达 5.38 亿人次，同比增长 4%，预计全年增幅为 3% ~ 4%，继续超过全球经济增长速度。过去 60 年中，旅游经历了持续扩张和多元变化，成为全球经济中增长最大和最快的行业，尽管偶遇震荡，旅游增长未受中断和影响。预计到 2030 年期间，世界旅游业将保持年均 3.3% 增速。世界旅游业理事会（WTTC）测算，2015 年旅游业有望再次跑赢整体经济，实现连续 6 年正增长。旅游业对全球 GDP 的综合贡献将达7.8万亿美元，占全球GDP总量的10.0%。旅游业创造2.84亿个就业岗位，占全球就业总量的9.5%。在世界经济复苏乏力的背景下，旅游成为各国创造就业和创业、出口创收以及拉动基础设施的关键驱动力。

3. 旅游业自身的可持续发展及其对全球可持续发展的重要影响，正引起国际社会的高度关注。旅游业是世界公认的资源消耗低、就业机会多、综合效益高的产业，是现代服务业的重要业态，也是许多国家产业结构调整的重要方向。去年9月，第70届联合国大会正式通过《可持续发展2030年议程》，其中包括消除极端贫困等17个可持续发展目标。旅游业与这17个目标都有着直接和间接联系，能够为之做出贡献，特别是在可持续经济增长、可持续消费和生产、可持续利用海洋和海洋资源等方面大有可为。2015年12月4日，联合国大会通过决议，将2017年定为国际可持续旅游发展年。决议认为，“国际旅游，特别是设置国际可持续旅游发展年具有重要意义。旅游能增进各地人民之间的了解，提高对各文明丰富遗产的认知和对不同文化的内在价值的尊重，从而促进世界和平。”旅游业自身发展规律也要求，旅游必须走可持续发展道路。世界各国在发展旅游业过程中，也越来越重视对自然资源、人文资源和生态环境的保护，加强旅游目的地的环境建设和文化多样性建设。

4. 中国旅游对世界旅游的影响力与日俱增。国际社会普遍认为，把脉世界旅游业大势，必须关注中国旅游走向。联合国世界旅游组织数据显示，自2012年起，中国连续多年成为世界第一大出境旅游消费国，对全球旅游收入的贡献年均超过13%。2015年，中国出境旅游人数、境外旅游消费继续位列世界第一。全球商务旅游协会预计，2016年的第一个新趋势就是中国超过美国成为世界上最大的商务旅游市场。美国国家旅游局数据显示，2015年，中国赴美旅游总数达300万人次，同比增长16%，人均消费6000～7000美元，远超其他国家。韩国观光公社统计显示，2015年赴韩中国游客人均消费2200美元，给韩国带来的综合经济效益达220亿美元，约占韩国GDP的1.6%。澳大利亚统计局数据显示，2015年中国赴澳游客达100万人次，总消费金额约355亿元人民币，澳大利亚仅用5年时间就实现了原定的10年计划目标。美国《洛杉矶时报》说，旅行是中国一大消费热点，几乎所有受访者都有旅行计划。《福布斯》称，中国游客成为全球规模最大且带来利润最多的游客大军，中国年轻一代更加追求出境游品质。泰国《民族报》刊文说，中国旅游业是一个全球性的推动力，能够在今后一段时间充当可持续发展的发动机。随着中国游客走出去，中国企业也正加快走出去步伐，锦江集团境外13亿欧元收购卢浮集团，港中旅4亿英镑收购英国布莱顿酒店集团，中国企业加速向全球化企业转型。同时，中国旅游在国际舞台上的影响力和话语权不断增强，从今年起的3年内，每年都有世界旅游领域的顶级盛会在中国举行，旅游成为我国外交战略和参与全球经济治理的新型载体。

5. 国际旅游抗风险能力面临诸多挑战。一是暴恐事件。2015年3月18日突尼斯巴尔多博物馆恐怖袭击案之后，前往突尼斯旅行的游客大幅下降。8 月 17 日，泰国曼谷市中心旅游景点四面佛附近发生爆炸事件。次日，23 个国家和地区发出避免赴泰旅行的警告。11 月 13 日，法国巴黎市中心发生多起枪击和爆炸事件，巴黎高级宾馆的入住率一度下降了 50%。**二是**病毒疫情。2015 年韩国爆发中东呼吸综合征，埃博拉病毒在西非盛行，极大冲击了当地旅游业发展。**三是**自然灾害。2015 年 4 月 25 日，尼泊尔发生 8.1 级地震，震中旅游资源损害殆尽，对尼旅游业带来严重打击。**四是**环境污染。中国、印度等部分地区出现的大面积雾霾，对各自的入境旅游影响明显。**五是**国际政治矛盾。去年俄罗斯总统普京就土耳其击落俄战机签署对土耳其实行制裁的总统令，要求旅游公司不得办理前往土耳其的旅游手续，要求政府采取措施，禁止包机往来俄土航线。两国旅游交流几乎陷入停滞。

（二）我国旅游发展迎来六大机遇

1. 五大发展理念为我国旅游发展模式转变开辟了广阔天地。十八届五中全会提出“创新、协调、绿色、开放、共享”五大发展理念，这将从根本上改善旅游发展环境，激发旅游发展动力。旅游业的本质特征与五大理念高度契合，消费的不断升级铸就创新是旅游发展的基本特征，要素的相互衔接决定协调是旅游发展的基本要求，过程的人文要求决定绿色是旅游发展的基本属性，游客的空间移动决定开放是旅游发展的内在要求，服务的产业链条决定共享是旅游发展的必然效果。

2. 旅游业的战略性地位日益凸显。我国已形成 40 亿人次的国内旅游市场，入出境市场超过 2.5 亿人次，旅游对经济和就业的贡献率均超过 10%。旅游已成为人民生活水平提高的重要指标，成为小康社会的重要标志，也是建成小康社会的有效途径。李克强总理在去年的政府工作报告中将发展旅游业摆在深化服务业的首位，在中央经济工作会议上又把“促进旅游消费”摆在扩大内需的首位，这不仅体现了旅游业在当前政府工作中的重要位置，也说明旅游业在稳增长、调结构、惠民生中的综合优势正日益凸显。汪洋副总理形象地指出，旅游是经济发展的“加速器”、社会和谐的“润滑油”、生态文明建设的“催化剂”、对外合作交流的“压舱石”。

3. 供给侧结构性改革为旅游发展提供重要机遇。供给侧结构性改革是旅游产业要素供给的巨大机遇，也是激发旅游市场活力的巨大动力。供给侧结构性改革，**一是**强调依靠改革创新培育发展新动能、改造提升传统功能。其中，实施创新驱动发展战略，深入开展“大众创业，万众创新”。旅游业正是“双创”的广阔舞台；加快价格市场化改革，推动放开水、电力、交通运输等领域竞争性环节价格，这将有效降低旅游企业生产要素成本。深化财税体制改革，调整消费税等政策，这将有力促进境外旅游消费回流。推进金融体制改革，有效缓解企业融资难、融资贵问题，这将为旅游企业发展提供更大融资便利。**二是**强调用新思路新举措挖掘内需潜力。中央经济工作会议要求“顺势而为促进旅游消费”，强调“切实落实带薪休假制度，鼓励错峰休假，弹性作息，改善旅游设施，规范旅游市场秩序，重拳整治价格欺诈、强制购物等乱象，让群众舒心旅游”。其他政策包括增加供给、壮大养老健康消费，综合施策、增加中高端消费。这些对旅游来说都是重大利好。要求深入推进新型城镇化，这将有力助推乡村旅游和全域旅游发展。要求继续优化区域发展格局，“一带一路”、京津冀一体化、长江经济带建设“三大战略”将有利于旅游培育新的增长极。**三是**强调大力优化产业结构，大力发展新兴产业，加快发展现代服务业，旅游业作为服务业的龙头，将直接受益。**四是**强调加快形成对外开放新格局，将有力助推旅游对外交流合作。当然，旅游业自身也需要进行供给侧结构性改革。旅游供给有总量不足的问题，但更突出的是结构性问题，或者说表现为总量不足，实质上是结构不合理。我们完全可以通过旅游供给侧结构性改革，增强旅游发展新动能，实现制度创新和政策调整，破除各种市场壁垒，减少政府干预，激发新一轮旅游市场活力。

4. 旅游政策红利正在加快释放。去年以来，党中央、国务院出台系列加快发展旅游业的政策措施。国办发 62 号文，是继 2009 年国发 41 号文、2014 年国发 31 号文之后的又一重要文件。中央预算内投资显著加大对旅游的支持。旅游用地、境外旅客购物离境退税、进境口岸免税等政策取得重大突破，延长旅游发展基金。这些政策红利将成为旅游业新一轮发展的强大支撑。

5. 爆发式增长的旅游消费提供巨大发展动力。恩格尔系数是衡量一个家庭或国家生活水平、消费结构的重要指标。联合国根据恩格尔系数的大小，对世界各国的生活水平有一个划分标准，即一个国家平均家庭恩格尔系数大于 60% 为贫穷；50% ~ 60% 为温饱；40% ~ 50% 为小康；30% ~ 40% 属于相对富裕；20% ~ 30% 为富足；20% 以下为极其富裕。一般来讲，人均 GDP 在 1000 美元以下，居民消费主要以物质消费为主；人均 GDP 在 3000 美元左右，进入物质消费和精神文化消费并重时期；人均 GDP 超过 5000 美元，居民的消费转向精神文化消费为主的时期。而根据世界银行统计的通行标准，人均 GDP 达到 5000 美元以上，则意味着这个国家或者地区达到了中等收入国家的平均水平，此时恩格尔系数如果在 20% ~ 30% 区间，则为富足，在 30% ~ 40% 区间，则为相对富裕。去年《经济学人》公布了一份全球 22 国的恩格尔系数，其中美国恩格尔系数最低，人均每周食品饮料消费 43 美元，占收入的 7%；英国人均每周食品饮料消费与美国相同，占收入的 9%。中国人均每周食品饮料消费 9 美元，占人均收入 21%，达到富足程度。当然，我国目前存在的医疗、教育、购房支出居高不下，也可能对食品支出达到一定的抑制作用。根据国际旅游规律，人均 GDP 达到 5000 美元时，就会步入成熟的度假旅游经济，休闲需求和消费能力显著增强，并出现多元化趋势。而 2015 年我国 GDP 总量达 67.67 万亿元，人均 GDP 为 5.2 万元，约合 8016 美元。不过我国人均出游才为 2.98 次，离发达国家居民每年出游 8 次以上还有很大差距。2020 年，我国人均 GDP 有望突破 1 万美元，旅游消费的需求将呈现爆发式增长，为旅游业发展提供巨大发展动力。

6. 各地发展旅游的热情前所未有，企业投资旅游的热情前所

未有，人民群众参与旅游的热情前所未有，旅游消费增速、旅游市场的扩张速度前所未有。全国有30个省（区、市）将旅游业定位为战略性支柱产业、主导产业、先导产业或龙头产业加以优先发展，出台了一系列促进旅游业发展的政策措施。召开全省（区、市）旅游发展大会，书记、省长亲自出席并作部署，已成为各地推动旅游业发展的一个普遍做法和宝贵经验。多数省（区、市）已建立起综合协调机制，部委办局联动，共同促进旅游业发展。许多大型企业集团进军旅游领域。归根结底是源自人民群众参与旅游的热情前所未有。

在分析旅游业面临的形势时，必须清醒地看到，我们还面临许多困难和挑战，具体体现在15个不适应：（1）现行旅游管理体制与“两个综合”（综合产业和综合执法）不相适应；（2）旅行社、饭店、景区及导游管理体系与旅游业的快速发展不相适应；（3）一些地方旅游市场秩序混乱与人民群众“更加满意”及扩大入境旅游的目标不相适应；（4）游客素质与旅游业的快速增长及国际旅游环境要求不相适应；（5）旅游产品和以厕所为代表的公共服务及交通等基础设施供给与旅游爆发式、井喷式市场需求不相适应；（6）游客对中国产品质量的信心、国内外税差及流通成本差别与强劲的购物需求不相适应；（7）我国旅游装备制造水平与激烈的国际竞争不相适应；（8）休假制度安排和人民群众休闲度假旅游需求不相适应；（9）旅游小统计与旅游大产业及国际通行规则不相适应；（10）旅游管理部门队伍建设、全行业队伍建设、从业人员素质与旅游科学发展的要求不相适应；（11）企业对门票经济的过于依赖与广大游客的承受能力和期待不相适应；（12）旅游管理体制、运行机制与国际规则不相适应；（13）旅游投资、经营环境与投资者、经营者的要求不相适应；（14）党委、政府及部门对旅游业的实际重视程度和工作力度与人民群众对旅游的需求、期盼不相适应；（15）旅游基础理论和应用研究与旅游高速发展的实践不相适应。这些都是“十三五”期间，需要重点加以研究解决的问题和难题。

总体来看，“十三五”时期，我国旅游业将继续处于**黄金发展期**，同时也是**结构调整期**、**游客文明素质逐步提升期**、**旅游市场秩序逐渐规范期**及**各类矛盾凸显期**。**“五期叠加”**是旅游业的新常态。我们要立足旅游“五期叠加”的基本国情和客观现实，按照五大发展理念，积极应对和主动化解国内外各种不利因素，勇于担当，主动作为，不仅实现旅游业自身的发展，更要为国家经济转型和社会发展做出新的更大贡献。

三、我国“十三五”旅游发展规划思路

我们要认真回顾总结改革开放以来我国旅游发展的历程，在此基础上，认真谋划未来三十五年，即新中国成立百周年前，我国旅游发展的总体思路。我们正在组织研究制定未来三十五年我国旅游发展纲要。“十三五”规划是实现全面建成小康社会目标决胜阶段的五年规划，是未来三十五年新阶段的第一个五年规划。

（一）总体研判

“十三五”时期，旅游业将成为新常态下经济转型升级的关键驱动力，全面建成小康社会的重要力量，生态文明建设的引领产业，精准扶贫攻坚的重要生力军，对外交往和提升国家综合实力的有效载体，也是全面体现并实践五大发展理念的综合优势产业。

（二）指导思想

全面贯彻落实党的十八大、十八届三中、四中、五中全会精神，以邓小平理论、“三个代表”重要思想、科学发展观为指导，统筹国内国际两个大局，按照“五位一体”总体布局和“四个全面”战略布局，紧紧围绕全面建成小康社会目标制定“十三五”规划，牢固树立五大发展理念，科学确定“十三五”时期旅游业发展主要目标，突出质量效益和民生指标，以“改革创新、提质增效”为主题，以推进供给侧结构性改革、“双加双创”为引擎，着力转变发展方式，着力优化市场环境，着力推动改革创新，着力实施扶贫攻坚，推动旅游业持续健康快速发展，为全面建成小康社会做出应有贡献。

（三）发展目标

实现六大优化：一是优化旅游发展模式，实现从景点旅游到全域旅游的转变。二是优化旅游供给体系，完善产业结构、产品结构，努力实现由旅游供给不足向供需基本平衡转变。三是优化旅游市场体系，完善提升国内旅游市场，大力开拓入境旅游市场，合理引导出境旅游市场，实现三大市场协调发展。**四是**优化旅游服务体系，提升行业整体服务水平，规范旅游市场秩序。**五是**优化旅游创新体系，改变旅游业对资源开发和要素投入的过度依赖，依靠理念创新、技术创新、手段创新、制度创新、环境创新、人才创新，实现由资源依赖向创新驱动的跨越。**六是**优化旅游发展方式，提质增效、转型升级，实现由粗放型向集约型的跨越。到 2020 年，全国城乡居民人均出游率、旅游消费总额、旅游投资总额、旅游就业总量等指标实现比 2015 年翻一番。在这里要强调的是，实现翻番，不是新一轮大干快上，不能搞粗放型发展方式、靠强力刺激抬高速度，而是在质量和效益提升基础上的科学发展。

（四）主要任务

1. 创新驱动，着力增强旅游业发展新动能。实施旅游消费提升计划，培育旅游新需求；实施旅游投资促进计划，壮大旅游新供给；实施“旅游 +”战略，拓展旅游发展新空间；实施旅游 + 互联网行动，构建旅游发展新引擎；实施品牌驱动战略，构建旅游发展新产能。

2. 协调推进，着力提升旅游业发展质量。持续推进厕所革命，提升旅游公共服务水平；大力推动全域旅游，促进城乡旅游一体化；统筹推进区域旅游，构建新型旅游增长极；完善旅游空间布局，构筑旅游发展战略支点；优化旅游要素配置，促进产业结构升级。

3. 绿色崛起，着力提升旅游生态文明价值。倡导绿色旅游消费，杜绝旅游铺张浪费；实施绿色旅游开发，构建生态产业链；推进旅游行业节能减排，引领低碳旅游方式；创新绿色发展机制，大力发展生态旅游；开展生态文明教育，树立绿色发展理念。

4. 开放带动，着力构建旅游开放合作新格局。积极发展旅游外交；大力发展入境旅游；发挥港澳台桥头堡作用，深化与港澳台旅游合作；实施中国旅游业“走出去”战略；有序发展出境旅游；实施中国旅游国际影响力提升计划。

5. 共享发展，着力推动旅游普惠民生。实施乡村旅游扶贫工程，共享全面小康；实施国民休闲计划，共享美好生活；实施旅游创业创新扶持计划，共享发展机遇；大力发展旅游共享经济，推广旅游共享消费理念；完善旅游业发展成果共享机制。

6. 规范提升，着力提高人民群众的满意度。转变旅游监管方式，规范旅游市场秩序，建立健全诚信体系，提升市场监管能力；大力推进文明旅游，传播行业正能量；构筑旅游安全保障网，增强全社会旅游安全意识；推进旅游标准化建设，强化旅游标准管理；实施旅游服务质量提升计划，提升中国旅游品牌形象。

同时，还要**深化旅游业改革**，完善旅游管理体制、推进旅游业综合改革、壮大旅游市场主体、深化景区体制改革、创新导游管理体制、持续加强旅游数据中心建设、推动旅游行业协会改革。**加大政策扶持力度**，增加政府引导性投入、创新金融支持措施、落实旅游用地政策，完善旅游财税政策。**加强旅游法规建设**，完善《旅游法》配套规章制度，健全地方旅游法规体系，加大旅游执法检查。**加强人才队伍建设**，实施重点人才开发计划，完善人才评价机制，发展现代旅游职业教育，加强旅游学科建设，加强旅游基础研究和应用研究。加强人才培养国际合作，加强旅游志愿者队伍建设。

四、2016 年全国旅游重点工作

进入新的发展时期，贯彻落实五大发展理念，**必须转变旅游发展思路，创新旅游发展战略，变革旅游发展模式，加快旅游发展阶段演进，推动我国旅游从"景点旅游"向"全域旅游"转变。**

在我国旅游发展的初级阶段，我们发展旅游，主要是建景点、景区、饭店、宾馆，这种发展方式实际上是一种"景点旅游"模式。各级党委、政府及企业为此做出了巨大努力，并取得显著成绩。几代旅游人为之奋斗，克服重重困难，使旅游业从无到有，从小到大，做出了宝贵贡献，也正是这些点上的突破，才为我们今天新阶段旅游发展打下了良好基础。然而，旅游业发展到现在，已经到了全民旅游和个人游、自驾游为主的全新阶段，作为综合性产业在经济社会发展中发挥的作用更加广泛，时代赋予旅游业的责任也空前加大，传统的以抓点方式为特征的景点旅游模式，已经不能满足现代大旅游发展的需要。现实要求我们必须从现在的景点旅游模式转变为全域旅游模式。例如，过去我们居民建房子，没有考虑到旅游景观的需要；另外，我们搞景区开发，也没有考虑到当地居民的需求。再如，在景点旅游模式下，水利建设只是考虑防洪、排涝、抗旱，基本上不会顾及旅游用途与需求。在景点旅游的模式下，封闭的景点景区建设、经营与社会是割裂的、孤立的，有的甚至是冲突的，造成景点内外“两重天”。而全域旅游就是要改变这种“两重天”的格局，把一个区域整体作为功能完整的旅游目的地来建设，实现景点内外一体化，做到人人是旅游形象，处处是旅游环境。全域旅游是空间全景化的系统旅游，是跳出传统旅游谋划现代旅游、跳出小旅游谋划大旅游。

从**景点旅游模式**走向**全域旅游模式**，具体要实现九大转变：一是**从单一景点景区建设管理到综合目的地统筹发展转变**，破除景点景区内外的体制壁垒和管理围墙，实现多规合一，实行公共服务一体化，旅游监管全覆盖，实现产品营销与目的地推广的有效结合。旅游基础设施和公共服务建设从景点景区拓展到全域。例如，要从景点景区和城市的旅游厕所革命拓展为景点景区内外、城乡一体推进的全面厕所革命。二是**从门票经济向产业经济转变**。实行分类改革，公益性景区要实行低价或免费开放，市场性投资开发的景点景区门票价格也要限高，遏制景点景区门票价格上涨过快势头，打击乱涨价和价格欺诈行为，从旅游过度依赖门票收入的阶段走出来。三是**从导游必须由旅行社委派的封闭式**

管理体制向导游依法自由有序流动的开放式管理转变，实现导游执业的法制化和市场化。四是**从粗放低效旅游向精细高效旅游转变，**加大供给侧结构性改革，增加有效供给，引导旅游需求，实现旅游供求的积极平衡。五是**从封闭的旅游自循环向开放的“旅游+”融合发展方式转变，**加大旅游与农业、林业、工业、商贸、金融、文化、体育、医药等产业的融合力度，形成综合新产能。六是**从旅游企业单打独享到社会共建共享转变，**充分调动各方发展旅游的积极性，以旅游为导向整合资源，强化企业社会责任，推动建立旅游发展共建共享机制。七是**从景点景区围墙内的“民团式”治安管理、社会管理向全域旅游依法治理转变，**旅游、公安、工商、物价、交通等部门各司其职。八是**从部门行为向党政统筹推进转变，**形成综合产业综合抓的局面。九是**从仅是景点景区接待国际游客和狭窄的国际合作向全域接待国际游客、全方位、多层次国际交流合作转变。**最终实现**从小旅游格局向大旅游格局转变。**

推进全域旅游是贯彻五大发展理念的重要途径，是经济社会协调发展的客观要求，是旅游业提质增效可持续发展的必然选择，是旅游业改善民生、提升幸福指数、服务人民群众的有效方式，符合世界旅游发展的共同规律和整体趋势，代表着现代旅游发展的方向。总之，推进全域旅游是一场具有深远意义的变革，是新时期我国旅游发展的总体战略。

2016年，我们要全面贯彻党的十八大和十八届三中、四中、五中全会精神，深入贯彻习近平总书记系列重要讲话精神，按照中央经济工作会议要求，全面落实五大发展理念，推动景点旅游向全域旅游转变，为我国旅游业“十三五”开好局，起好步。

2016年旅游业发展预期目标为：国内旅游43.8亿人次，增长9.5%；旅游入出境2.63亿人次，增长5%，其中入境1.37亿人次，增长2.5%；出境1.26亿人次，增长8%。国内旅游收入3.8万亿元，增长11%；国际旅游收入1210亿美元，增长6.5%；旅游总收入4.55万亿元，增长10%。旅游投资达到1.2万亿元，同比增长20%。旅游直接就业2816万人，直接和间接就业合计7943万人，占全国就业总人口的10.23%。这一目标是就全国旅游业总体发展而言的，各地情况不同，要从本地实际出发合理确定发展目标。

（一）扎实开展全域旅游试点示范工作

1. 出台《国家全域旅游示范区创建工作指南》。国家旅游局下发《关于开展国家全域旅游示范区创建工作通知》后，各地申报创建工作的积极性很高。为加强对创建工作的指导，国家旅游局将尽快出台《国家全域旅游示范区创建工作指南》，明确创建工作重点。

2. 规范国家全域旅游示范区创建工作。首批国家全域旅游示范区创建工作，原则上为2～3年时间。从明年开始，国家旅游局组织验收并公布首批国家全域旅游示范区名录。对符合以下**四项基本标准**的创建单位优先组织验收：（1）旅游对当地经济和就业的综合贡献达到要求；（2）建立旅游综合管理和执法体系；（3）厕所革命及公共服务建设成效明显；（4）建成旅游数据中心。成熟一批、验收一批、公布一批，坚持标准，动态管理。

3. 加大对创建工作的指导支持力度。国家全域旅游示范区创建工作，以申报的市（州）县人民政府为主体。各地要在当地党委政府的统一领导下，制定并实施创建工作方案。各级旅游部门要把推进全域旅游作为新时期促进旅游业改革发展的重要突破口，切实加大实施推进力度。我们将推出**八项支持措施：**（1）优先纳入中央和地方预算内投资支持对象；（2）优先支持旅游基础设施建设；（3）优先纳入旅游投资优选项目名录；（4）优先安排旅游外交、宣传推广重点活动，纳入国家旅游宣传推广重点支持范围；（5）优先纳入国家旅游改革创新试点示范领域；（6）优先支持 A 级景区等国家重点旅游品牌创建；（7）优先安排旅游人才培训；（8）优先列入国家旅游局重点联系区域。

4. 加强全域旅游示范区创建成果宣传交流。汇编《全域旅游创建示范区经验》。建立国家全域旅游示范区联盟，交流分享创建经验，共同塑造全域旅游目的地品牌。建立全域旅游示范区创建工作观测体系。开展“书记市长（县长）谈全域旅游”系列高端访谈和大型宣传报道活动，推动各级党委政府和全社会深入关注支持全域发展。

我们初步研究，在全国确定 10% 的市州、20% 的县区开展首批全域旅游示范区创建工作。确定海南省作为首个全域旅游创建省。

（二）咬定目标，精准施策，大力推进乡村旅游和旅游扶贫

2016年是打赢扶贫攻坚战的开局之年，各级旅游部门要深入贯彻习总书记在中央扶贫开发工作会议上提出的“在精准施策上出实招、在精准推进上下实功、在精准落地上见实效”要求。

5. 实施乡村旅游扶贫工程。（1）制定实施《实施乡村旅游扶贫工程工作方案》，明确省负总责、市县抓落实，提出具体工作措施和政策保障。（2）继续召开全国乡村旅游与旅游扶贫推进大会（“818大会”），推广乡村旅游精准扶贫经验和模式。（3）召开“实施乡村旅游扶贫工程动员部署工作会”。（4）加强休闲农业和乡村旅游特色村的道路、电力、饮水、厕所、停车场、垃圾污水处理设施、信息网络等基础设施和公共服务设施建设，加强旅游休闲配套设施建设。

6. 开展建档立卡贫困村乡村旅游资源普查，找准乡村旅游扶贫工作对象。（1）对各地建档立卡贫困村开展一次旅游资源普查，确定“十三五”时期具有发展乡村旅游条件的贫困村名单。（2）会同扶贫办开展乡村旅游扶贫模式试点，提出国家扶贫资金和政策支持方案。（3）在全国选择100个乡村旅游扶贫试点村作为旅游扶贫观测点，建立观测体系，每半年汇总一次观测点的乡村旅游扶贫工作成效，提高旅游扶贫精准度和实效性。

7. 创新乡村旅游扶贫投入机制。（1）联合国家开发银行等政策性金融机构，设立“乡村旅游扶贫基础设施专项贷款”，以低

息和长期贷款方式，支持扶贫开发重点县和建档立卡贫困村完善旅游基础设施。（2）鼓励各地推动设立社会性的乡村旅游扶贫公益基金，帮助贫困人口解决上学、就医、就业面临的困难。（3）支持各地开展乡村旅游扶贫公益宣传活动，免费为乡村旅游扶贫村宣传推介旅游资源和产品。

8. 加大对乡村旅游扶贫重点村指导。（1）加大对乡村旅游扶贫重点村的规划指导，组织开展乡村旅游规划扶贫公益活动，对建档立卡贫困村实施整村扶持。（2）实施“乡村旅游扶贫培训种子工程”，依托有条件的旅游院系和培训机构，培养一批乡村旅游扶贫培训师，深入贫困村，面向贫困人口进行技能辅导。（3）建立“全国乡村旅游扶贫专家库”，继续开展旅游扶贫重点村村官培训工作，分四期培训2000人。推动设立全国乡村旅游扶贫西部培训基地和东部培训基地。（4）编撰《中国旅游扶贫》专刊，宣传各地乡村旅游扶贫支持政策、典型案例和成功经验。

9. 开展旅游行业“万企万村”结对帮扶活动。组织动员全国有条件的1万家大型旅游企业、旅游规划机构、旅行社、宾馆饭店、景区景点、旅游院系，对1万个乡村旅游扶贫重点村进行结对帮扶活动，通过帮助宣传推介、客源组织、招商引资、送教上门等多种方式，帮助乡村旅游扶贫重点村贫困人口脱贫。

（三）加大投资力度，推动旅游供给侧结构性改革

旅游产品供给不足仍然是当前我国旅游业的主要矛盾之一，也是旅游投资继续大有作为的潜力所在。当前，在全国固定资产

投资增速下滑、在国内经济下行压力加大的情况下，我国旅游投资持续强劲增长，成为促进经济增长、拉动消费需求的重要动力。我们要充分利用国家供给侧结构性改革契机，在补短板上下功夫，大力推进旅游业供给侧结构性改革。

10. 加强制度供给。供给侧改革最突出的问题就是制度供给不足。我们推出的“游客不文明行为记录”就是推进制度建设、增加制度供给的有益尝试。（1）加强旅游法配套制度建设，完善以旅游法为核心的旅游法规范体系。（2）推进国办发 62 号文和旅游用地等政策的落地。抓好对各部门分工任务的督办落实。（3）推动建设跨境旅游合作区和边境旅游试验区，全面推进旅游业改革创新先行区工作。（4）深化旅游协会改革，充分发挥协会服务会员、服务社会、服务政府的作用。

11. 突出抓好完善旅游基础设施。（1）争取中央政府性投资更多地支持旅游业发展。编制完成“十三五”旅游基础设施建设项目规划，为“十三五”中央预算内基建资金支持旅游业发展提供规划和项目支撑；（2）安排好 2016 年预算内旅游基础设施和公共服务项目，重点支持厕所革命、数据中心建设和旅游转型升级项目贷款贴息。（3）各地要加大投入，加快推进城市及国道、省道至 A 级旅游景区连接道路建设和运输组织，加快实现从机场、车站、码头到主要景区的公路交通无缝对接，打通“最后一公里”、防止“中梗阻”。

12. 优化旅游投资结构，推进重点领域投资快速增长，充分发挥市场主体作用。（1）建立国家重点旅游投资建设项目库，抓住国家加快供给侧结构性改革、编制三年滚动投资计划的机遇，增加项目储备，选报一批投资规模大、带动功能强、综合效应好的旅游大项目、好项目入库储备，为争取政府性资金支持旅游业发展做好项目储备。（2）开好中国旅游投融资促进大会（“515大会”），推出中国百佳旅游投资商、百强旅游投资机构、百优旅游投资项目，发布2015年旅游投资报告，颁发第二届中国旅游产业杰出贡献奖（飞马奖）。（3）基本完成中国旅游产业促进基金组建工作，鼓励有条件的地方设立旅游产业促进基金。（4）鼓励各地支持企业通过政府和社会资本合作（PPP）模式投资、建设、运营旅游项目。积极发展旅游投资项目资产证券化产品，推进旅游项目产权与经营权交易平台建设。积极引导预期收益好、品牌认可度高的旅游企业探索通过相关收费权、经营权抵（质）押等方式融资筹资。（5）推动对投资大、发展前景好的旅游重点项目，优先安排、优先落实土地和围填海计划指标。推动新增建设用地指标优先安排给中西部地区，支持中西部地区利用荒山、荒坡、荒滩、垃圾场、废弃矿山、石漠化土地开发旅游项目。

13. 丰富旅游产品，实施品牌战略。没有“品牌力”就没有“号召力”，没有“号召力”就没有“竞争力”。（1）巩固完善提升5A级旅游景区、旅游星级饭店、国家级旅游度假区、中国国际特色旅游目的地等基础性旅游品牌。（2）扎实推进研学旅游、“十大景区”系列品牌、国家旅游休闲区和中国国际海岛旅游目的地等新兴旅游品牌。（3）深入挖掘培育工业旅游、科技旅游、国民度假地等旅游创新品牌。树立一批具有先进理念和强大市场影响力的旅游产品线路、企业、院校和服务品牌。（4）改革中国国际旅游交易会、中国国际旅游商品博览会、中国旅游产业博览会和海峡两岸旅游博览会举办方式，以地方为主、以企业为主，推动展会市场化、品牌化发展。

14. 完善旅游投资统计体系和信息发布制度。（1）修订完善全国旅游投资项目统计系统，准确界定旅游投资项目内容和范围，及时掌握全国旅游投资情况。（2）建立各省区市旅游投资管理专员制度，完善旅游投资信息发布和通报制度。国家旅游局每季度发布全国旅游投资信息，每半年向各省区市人民政府通报各地旅游投资完成情况。（3）建立地方旅游投资增长与旅游发展基金地方项目补助资金适当挂钩机制。建立旅游投资增长年度考核奖励机制。（4）对近三年旅游发展基金地方补助资金使用情况开展监督检查，及时发现和防范可能存在的中央预算内资金使用问题和风险。

（四）改善环境，提质增效，充分释放旅游消费潜力

15. 加大入境市场推广力度。要加强高层推广、公众营销、内部营销、反季营销和互动营销。（1）着力提升“美丽中国”整体旅游形象。围绕“天下黄河、魅力长江、万里长城、千年运河、丝绸之路、江南水乡、天路之旅、香格里拉、北国冰雪、岭南风光、茶叶之路、世界遗产”旅游品牌设计 60 条精品旅游线路；组织参加德国柏林国际旅游交易会等 5 个重点海外旅游展，组织参加西班牙马德里国际旅游展等 17 个海外旅游展，在

韩、日、美等重点客源市场投放中国旅游整体形象广告。支持地方办好各项重点推广活动。（2）大力开发新兴市场。以印度“中国旅游年”为契机，全面铺开对印宣传推广。积极开发印度、越南、印度尼西亚的年轻人、穆斯林和华人细分市场。（3）以“一带一路”沿线国家为重点，着力开拓边境旅游和区域旅游市场。（4）大力开发港澳台同胞入境旅游市场。以宣传推广美丽中国（华）——丝绸之路旅游为主线，组织参加第 30 届香港国际旅游展、台北两岸观光博览会等 8 个旅游展，召开内地游学联盟大会，实施港澳台青少年游学 2.0 工程，举办“美丽中国（中华）创意游”等活动。

16. 积极发展旅游新业态。针对当前旅游消费存在的结构性矛盾，积极引导休闲度假旅游，大力发展海洋旅游、自驾车、房车旅游，积极推进研学旅游、老年旅游和中医药健康旅游。（1）制定出台《关于促进自驾车房车旅游发展的指导意见》和《中国邮轮旅游发展战略纲要》，举办好 2016 年自驾车房车营地建设推进会和 2016 年邮轮旅游推进会议。支持少数民族地区和丝绸之路沿线、长江经济带等重点旅游地区建设自驾车房车营地。支持建立国内大型邮轮研发、设计、建造和自主配套体系，鼓励有条件的国内造船企业研发制造大中型邮轮。（2）推动放宽在线度假租赁、旅游网络购物、在线旅游租车平台等新业态的准入许可和经营许可制度。（3）鼓励发展国内旅游包机业务。依托铁路网，开发建设铁路沿线旅游产品。（4）制定游艇旅游发展指导意见，有规划地逐步开放岸线和水域。（5）大力推进老年旅游工作，落实老年旅游行动方案各项任务。

17. 大力发展旅游商品，提升旅游购物比重。（1）开展诚信旅游购物示范街区和诚信旅游购物示范企业创建工作。（2）实施乡村旅游后备厢工程，鼓励农副土特产品通过旅游渠道销售，促进农民增收。（3）运用国家对非遗扶持政策，鼓励非物质文化遗产类商品通过旅游渠道销售。在有条件的地方建设中医药健康旅游产业示范园区，推动中医药产业与旅游市场深度结合。（4）办好第二届中国特色旅游商品评选活动，将评选活动办成中国旅游商品的标志性活动，培育一批成熟的中国特色旅游商品品牌，有效提升旅游商品品质。

18. 推动落实职工带薪休假制度。（1）推动各级政府把落实带薪休假制度纳入议事议程，制定带薪休假制度实施细则或实施计划，鼓励机关、团体、企事业单位引导职工灵活安排全年休假时间。（2）推动完善针对民办非企业单位、有雇工的个体工商户等单位的职工休假保障措施。加强带薪年休假落实情况的监督检查。（3）推动地方和企事业单位在保证每周法定 40 小时工作时、不影响群众办事的前提下，创造条件让员工错峰休假、弹性休息，探索夏季“2.5 天休假模式”。

19. 落实旅游购物退免税政策，新增一批进境免税店。（1）推进在全国范围内加快实施境外旅客离境退税政策，在重点旅游城市、重点口岸新增一批进境免税店。（2）推动在加强进境物品限额管理的基础上，合理扩大我国公民需求量较大的免税品种，适度提高免税购物额，满足游客的实际需求。（3）积极推进海南等国际旅游岛建设，提升入境旅游消费规模和水平。（4）支持有条件的旅游企业进行互联网金融探索，拓宽移动支付在旅游业的普及应用，推动境外消费退税便捷化。

（五）持续推进“旅游+”，着力推动旅游创业创新

20. 推进“旅游+”，开展国家旅游示范基地和示范城市建设。推出“国家绿色旅游示范基地”、“国家蓝色旅游示范基地”、“国家人文旅游示范基地”、“国家康养旅游示范基地”和“国家旅游休闲示范城市”、“国家诚信旅游示范城市”、“国家湿地旅游示范区”、“旅游休闲示范乡村”、“旅游休闲示范区”等九大类旅游目的地。

21. 推进“旅游+互联网”。（1）办好2016年“旅游+互联网”大会（“919大会”），推进实施一批“旅游+互联网重大工程”，鼓励大型互联网企业进军旅游业。（2）召开全国旅游信息化工作会议，推进旅游信息化示范工程建设，推进12301国家旅游公共服务平台建设。（3）推进旅游信息化标准建设，加快饭店、景区、旅游电子商务、旅游地理信息等一批信息化标准编制工作。（4）完成国家旅游产业监测与应急指挥平台一期工程，推进各级旅游应急指挥平台建设，提升旅游应急指挥能力。

22. 推进旅游大众创业、万众创新。出台旅游“双创”激励政策，制定并下发《关于旅游业促进创业创新的若干意见》。构建旅游“双创”服务平台，开展国家旅游创业示范园区、国家旅游科技示范园区创建活动。开展百名中国旅游“双创”明星推选

活动，举办首届中国旅游创新博览会。召开全国旅游科技创新大会，制定实施全国旅游科技发展纲要，推出一批国家旅游科技重点支持项目。加强政策引导和专业培训，三年内引导和支持百万名返乡农民工、大学毕业生、专业技术人员等通过开展乡村旅游实现自主创业。

（六）积极主动融入国家发展战略

23. 编制好《中国旅游业发展“十三五”规划纲要》。旅游规划第一次纳入国家专项规划，这非常不容易。我们还要编制好《“十三五”旅游基础设施和公共服务设施专项建设规划》、《“十三五”旅游人才发展规划》、《“十三五”旅游公共服务发展规划》、《“十三五”旅游信息化发展规划》和《“十三五”国家风景道自驾车房车营地建设规划》，做好未来35年中国旅游业发展战略研制。

24. 完成重点旅游区域规划。围绕国家三大战略，完成“一带一路”旅游规划、京津冀旅游一体化规划、长江旅游带发展总体规划。完成国家东部生态文明旅游区总体规划编制工作。启动黄河旅游带、长城旅游带、运河旅游带、大东北旅游圈发展总体规划。

（七）大力整治市场秩序，推进文明旅游工作

25. 创新旅游市场综合监管机制，加大旅游市场整治力度。按照“政府主导、分级负责、属地管理”的原则，落实市场监

管责任。（1）国务院旅游工作部际联席会议下设国务院旅游市场综合监管工作小组，统筹旅游市场综合监管工作。（2）联合公安部、工商总局开展打击不合理低价游和强迫购物消费行为专项行动。（3）充分发挥“12301”、“我要旅游投诉举报”平台、旅游服务质量社会监督员作用，及时处理、曝光典型案件。（4）发布“全国旅游市场秩序综合水平指数”（TOI），发布旅游目的地警示，重点督办问题突出的区域、企业。（5）修订《旅行社条例》、《中国公民出国旅游管理办法》。（6）鼓励重点旅游城市设立旅游警察、旅游巡回法庭和工商旅游分局。建立“旅游纠纷”调解机制。

26. 深化导游管理体制改革。从行政化、封闭式管理向法制化、市场化管理转变。（1）开展改革试点，积极稳妥地放开导游自由执业。取消“导游必须经旅行社委派”的政策规定，拓宽导游执业途径，建立导游服务预约平台。游客既可通过线上平台预约导游，也可线下自主联系，实现交易方式完全放开。（2）改革导游管理模式。取消“获得资格证3年未从业的，资格证自动失效”的政策规定，导游资格证终身有效。导游证全国通用。取消导游年审制度，用信息化手段实现对导游的常态管理，实行动态进出机制。（3）建立“投诉+仲裁”与巡回法庭的联合处理机制。以导游与游客平等、责权利对等为原则，依法治旅。（4）召开全国导游工作会议，出台《关于进一步促进导游队伍健康发展的指导意见》，实现“进出、监管、保障、奖惩”四位一体。坚决依法处理导游队伍中的害群之马。依法保护导游的人身财产权益。

禁止对导游乱收费。各地要成立导游协会并加强引导。要努力增加导游在各级人大代表、政协委员及劳模中的名额，提升导游社会地位。

27. 坚持文明旅游“两手抓”。（1）继续强化正面宣传引导。开展“为中国加分”文明旅游主题活动，选树万名“中国文明游客”和千名“中国文明旅游公益大使”。选树千名“中国名导”、百个文明旅游先进单位，举办“好导游讲好故事”践行社会主义核心价值观主题故事会，征集一批“中国旅游好故事”影视作品剧本，继续开展“中国公民文明旅游公约大家定”系列公益宣传活动。壮大中国旅游志愿者队伍。（2）加大对不文明行为的惩戒力度。让“游客不文明行为记录”长牙齿，强化法律约束，引导社会舆论批评发力。

（八）深入推进厕所革命，加强公共服务建设

2016 年是厕所革命的攻坚之年。要深入推进厕所革命，重点解决旅游厕所技术和管理难题，提升厕所文明。2016 年全国新建、改扩建旅游厕所 2.5 万座，其中新建 1.7 万座，改扩建 0.8 万座；实现全国旅游景区、旅游线路沿线、交通集散点、乡村旅游点、旅游餐馆、旅游娱乐场所、休闲步行街区的旅游厕所达到 A 级旅游厕所质量等级标准。

28. 继续实施厕所革命建设行动。（1）在春节后上班的第一天，召开全国厕所革命推进会。这要形成一个工作机制并坚持下去。（2）执行 2016 年厕所革命行动计划。（3）组织 2016 年全国

厕所革命先进市创建工作，全年创建 200 个厕所革命先进市，并予以表彰。（4）加大旅游发展资金对厕所建设支持力度，通过资金引导各地厕所建设。（5）推动大型旅游企业捐赠活动。（6）开展厕所革命督导检查。开展旅游厕所游客评价调查。（7）完善旅游厕所信息管理系统，实现厕所建设、管理和评定的信息管理，开发旅游厕所服务地图软件，进一步提升旅游厕所服务水平。

29. 实施厕所革命技术创新行动。（1）发布并实施旅游厕所质量等级标准，推进全国厕所技术革命，针对性解决缺水、高寒及游客高强度使用等技术难点，消灭孤厕、旱厕、冰厕。（2）组织首届全国厕所技术创新大赛、举办全国厕所技术展览、召开国际厕所高峰论坛、创建全球人居示范工程。（3）通过标准规范全国厕所建设管理工作。（4）编制《旅游厕所质量等级评定细则》，全面开展 A 级厕所评定工作。（5）开展旅游厕所技术、管理运营试点工作，创建旅游厕所创新示范基地，加强厕所技术创新的国际交流合作。

30. 实施厕所革命管理创新行动。（1）继续推动“以商建厕、以商管厕、以商养厕”的厕所管理模式创新，提升厕所服务水平。（2）召开全国旅游厕所管理、技术现场工作会。制定《旅游厕所管理办法》，将旅游厕所质量等级标准与 A 级旅游景区、乡村旅游点、星级旅游饭店、全国旅游休闲示范城市等标准衔接，落实经营主体管理责任，建立厕所长效管理制度。（3）举办厕所管理创新研讨会，推动各地通过 PPP 等模式，吸引社会资本参与厕所建设管理工作，开展厕所管理品牌化、市场化运营实践。

（4）组织专题调研，开展以厕所为依托的新型公共服务平台示范工作，并在全国示范推广，提升社会整体公共服务水平。（5）发布厕所开放倡议书，推动各地建立“厕所开放联盟”，解决城市厕所选址难、分布不均等管理难题。

31. 开展厕所文明全面提升行动。（1）组织“世界厕所日暨第二届中国厕所革命动员日”活动，推动形成健康向上的厕所文化。（2）组织开展“全国旅游厕所革命万里行”活动，对全国厕所革命进行系列宣传报道，营造全社会高度关注、共同参与厕所革命的良好氛围。（3）策划制作“文明如厕”主题宣传片、公益广告、海报等，在重点旅游城市、旅游区及媒体播放、发放，倡导游客文明如厕行为。

32. 加强公共服务建设。（1）实施旅游公共服务补短板工程，加强旅游集散及标识引导体系建设，推动旅游停车场及相关设施建设。分别召开旅游公共服务座谈会、旅游集散中心和旅游信息咨询片会。（2）实施旅游公共服务民心工程，加强旅游公共服务信息发布，完善旅游目的地风险提示制度。整合城市游客接待、信息咨询、旅游集散、旅游投诉等多种服务功能。建立旅游目的地和旅游景区（点）的最大承载量发布制度。完善旅游保险产品，提升保险保障额度，拓宽保险覆盖范围，建立完善紧急救援体系。

（九）积极主动开展旅游外交，拓宽中国旅游国际舞台

2016年伊始，“中国旅游年”开幕式即在新德里成功举办，“韩国旅游年”在北京开幕，习近平主席分别发贺词，旅游外交在国

家整体外交战略中的地位更加凸显。

33. 谋划大局、服务大局，积极推进高层旅游外交。（1）全力承办好中国政府和联合国世界旅游组织共同主办的首届世界旅游发展大会。（2）全力办好中美旅游年，组织万名中美游客互访。（3）与联合国世界旅游组织共同主办好第七届二十国集团旅游部长会议，为9月在杭州举办的二十国集团领导人峰会营造氛围，积累旅游领域成果。（4）认真办好中韩旅游年、中印旅游年，筹办中英旅游年等。经过几年努力，我们要把中外旅游年活动覆盖所有旅游大国。

34. 落实“一带一路”战略，积极开展旅游主题外交。（1）启动中国—东盟旅游合作工作磋商，为举办中国—东盟旅游部长会议创造条件；与印度尼西亚、越南、马来西亚等东盟国家合作，共同实施“重走郑和路”计划，塑造中国—东盟海上旅游品牌项目。（2）办好“2016丝绸之路旅游主题年”系列推广活动。（3）举办首届中俄蒙三国旅游部长会议，加强中俄蒙“万里茶道”国际旅游线路合作。（4）推进中国—南亚旅游部长会议机制等。

35. 服务旅游产业对外开放，有效开展旅游务实合作。（1）举办中外旅行商洽谈会、中韩旅行商联谊会、中俄旅游投资论坛、中印旅游企业座谈会、中日旅游政策对话会等系列活动，为企业拓展对外合作和投资创造条件。（2）举办中澳、中新、“3+8”（中澳新＋南太8国）旅游部长会议和中国—中东欧国家旅游交流活动，促进旅游企业走出去。（3）举办四期旅游培训班，分别为东盟十国、中亚俄语国家、尼泊尔、孟加拉、老挝、南太国家培训旅游人才。

36. 着力提升入出境旅游安全保障和便利化。（1）与马来西亚、泰国、越南、韩国等15国启动ADS备忘录修改工作，推动在金融支付、中文语言、中文电视等方面更加便利中国游客。（2）推进与东盟国家建立联合投诉中心和信用评级系统试点工作，形成联动机制，保障游客合法权益。举办中泰旅游部长联席会议，建立旅游市场监管合作机制。（3）做好中国公民海外旅游风险提示工作。落实中国与白俄罗斯政府互免团体旅游签证协定，实施我旅游团组赴白俄罗斯免签业务。

（十）深化内地与港澳、大陆与台湾旅游合作

要“一肩挑双责”，充分发挥旅游在促进内地与港澳、大陆与台湾经济发展，加深民众相互理解方面的作用，主动服务中央对港澳台工作大局。

37. 深化内地与港澳旅游合作。（1）支持澳门建设世界旅游休闲中心。召开促进建设联委会会议。支持澳门举办第五届世界旅游经济论坛。（2）协调推进国际旅游岛建设，重点推动实施《横琴建设国际休闲旅游岛综合研究》项目，促进横琴与澳门旅游一体化发展。（3）创新粤港澳旅游一体化工作协调机制，推进建设世界级旅游目的地。

38. 拓宽大陆与台湾旅游合作领域。推进两岸产业合作，举办两岸乡村旅游圆桌会议、海峡两岸旅游文创商品展和研讨会。积极支持平潭国际旅游岛建设，推动实施平潭国际旅游岛建设方

案和旅游规划。支持福建建立两岸旅游文创商品孵化基础。完善大陆居民赴台旅游保险机制。指导福建探索建立厦（门）金（门）旅游协作区。

39. 加大合作开发市场力度。举办海峡两岸暨港澳地区邮轮游艇合作发展大会。支持海南与港澳台加强邮轮游艇合作。举办海峡两岸暨港澳地区旅游摄影大赛。推动粤澳、闽澳联合开发海上丝路产品。

（十一）提升红色旅游发展质量，充分发挥红色旅游综合效益

红色旅游前十年是打基础、扩规模，后十年应该是上层次、上品质。我们要按照习近平总书记的要求，努力使红色旅游办成爱国主义、革命传统教育的重要载体，成为丰富群众精神文化生活的重要平台，成为推动老区振兴和扶贫富民的重要渠道，着力推进红色旅游发展水平和质量。

40. 建设红色旅游目的地。推动红色旅游三期规划纲要的编制和落实，重点推进新增经典景区和基础设施建设。推出30 ~ 50 个中国红色旅游创新发展基地，制定创建指南，考评并授牌。创建 50 个红色旅游县，100 个红色旅游镇。推出 100 个红色旅游研学基地，建立全国红色旅游创新发展研究基地。

41. 积极发挥红色旅游扶贫富民作用。（1）支持老区建设红色旅游经典景区，新增经典景区建设达到名录 60% 以上。加强老区红色旅游跨区合作，着力推动大别山区、中央苏区、陕甘边

区等区域合作发展。（2）举办红色旅游纪念品暨革命老区特色产品创意设计大赛及展销活动。举办“弘扬老区精神，发展红色旅游”大型活动，宣传推广老区红色旅游。（3）开展智力扶贫和爱心救助帮扶活动。在革命老区建立红色旅游书屋，组织社会力量为老区开展爱心救助活动。

42. 开展红色旅游主题活动。（1）结合纪念建党 95 周年，举办“追寻红色印记·传承红色基因”红色旅游联展。结合纪念红军长征胜利 80 周年，举办“追寻梦想·走向辉煌”长征精神红色旅游主题活动。（2）结合纪念孙中山 150 周年诞辰、朱德 130 周年诞辰、贺龙 120 周年诞辰等重要纪念日开展相关活动。（3）开展全国红色旅游故事大赛、“红色记忆”红色旅游知识网络大赛和红色旅游进校园活动。（4）组织专家学者、导游员讲解员组成红色旅游宣讲团和红色旅游景区组成宣传队，走进全国 1000 所大、中、小学校，宣讲红色故事，宣传红色旅游，传承红色基因。

43. 推进红色旅游国际交流合作。（1）扩大中俄红色旅游交流与合作，不断完善合作机制，举办 2016 中俄红色旅游交流系列活动。（2）建立全国红色旅游国际合作创建区。选择有条件和有影响力的地区，建立 10 个左右全国红色旅游国际合作创建区。推出一批新的红色旅游国际精品线路，推动一些红色旅游重点城市与国外相关城市建立友好城市。

（十二）加快旅游数据中心建设

44. 国家旅游数据中心建设今年要初见成效，公布全国旅游基本数据，办好《中国旅游大数据》。要实施对内对外的有效合作。对内，**一要**加强与统计、公安、工商、外汇、交通、民航、铁路等相关部门合作，**二要**与互联网、通讯和大数据等相关企业合作。对外，**一要**与联合国世界旅游组织、世界旅游业理事会、世界经济合作与发展组织等国际组织合作，**二要**与所有国家的旅游主管机构合作。通过若干年的奋斗，我们要逐步建立起覆盖全国，内外联动、功能完备、科学可靠的中国旅游数据体系。进而言之，以此为基础，我们还要对世界和区域的旅游发展进行研究，对世界主要地区的旅游统计数据进行分析测算，从而发出中国的声音，深度融入世界旅游发展的大格局。

各地要加快建立旅游数据中心。到 2016 年年底，大部分省区市要建立起旅游数据中心，尽快建成国家、省、市、县四级旅游数据体系。中央财政将对省级旅游数据中心建设给予专项资金支持。

（十三）强化底线思维，防范风险，切实保障广大游客安全

45. 完善旅游安全法规制度。制定《旅游安全管理办法》。开展《旅行社安全规范》、《旅游饭店反恐怖防范规范》、《旅游景区反恐怖防范规范》等标准规范的宣贯及检查，编制《高风险旅游项目目录》。

46. 建立健全旅游安全责任体系。（1）推动各地政府加强对旅游安全工作的组织领导，层层落实旅游安全监管属地责任，推进旅游、交通、公安、安监等部门间的协调联动，建立健全旅游

安全综合管理机制。（2）各地旅游部门要成立旅游安全工作领导小组，积极协调有关部门落实专项监管责任，协同做好涉旅的治安、消防、食品、游乐设施等安全监管。（3）督促各地按照监管职责，切实推动相关旅游企业落实旅游安全的主体责任。

47. 强化旅游安全监管举措。（1）开展旅游包车专项整治行动。（2）积极推动旅游景区制定实施旅游者流量控制方案，指导旅游景区科学核定最大承载量并对外公布。（3）组织开展全国旅游安全大检查。协同配合开展旅游行业“打非治违”专项行动。针对涉及旅游的交通、消防、粉尘涉爆、食品卫生等非法违法行为突出的行业领域，特别是影响行业安全的“黑社、黑导、黑车、黑店”等方面进行联合整治。

48. 完善旅游应急管理体系。（1）各地要按照《旅游法》的要求，切实履行旅游应急管理职责，完善旅游应急领导、应急预案建设、信息报告和应急值守制度等，提高保障旅游安全和处置突发事件的能力。（2）组织开展“旅游安全应急演练”、“旅游安全生产月”、“旅游安全咨询日”等活动，举办全国旅游安全应急管理培训班。（3）修订《旅行社责任保险管理办法》，指导完善“旅行社责任保险全国统保示范项目”。完善“中俄旅游保险合作项目”，启动以韩国市场为试点开展“中国游客出境旅游紧急救援保险”工作。

（十四）积极传递舆论正能量，营造良好社会氛围

在经济社会大发展与矛盾聚集并存的复杂形势下，我们一定

要提高舆论引导能力，善于把握时、度、效，深度分析，主动发声，引导和发挥好舆论作用。

49. 抓好十大“旅游亮点聚焦行动”、组织八大“旅游主题新闻宣传活动”。推出“厕所革命在提速”、“市场秩序在提升”、“旅游外交看中国”、“旅游扶贫在一线”、“旅游产业在升级”、“旅游人才在发展”、“红色旅游耀中华”等十大新闻聚焦行动。组织重要媒体开展“走基层”、“中华情怀·旅游故事”全国首届旅游美文征文大赛、“美丽中国”全国首届旅游摄影大赛、“文明旅游公益广告大巡展”等主题新闻宣传活动。

50. 构建7大“旅游新闻宣传平台”。组织好旅游新闻发布会，发挥中国旅游网新闻宣传阵地作用，权威发布旅游政策信息。办好《中国旅游之声》。开发建设中国旅游新闻网络平台、中国旅游新媒体宣传推广平台、中国旅游视频资讯传播平台和境内外舆情监测平台。

51. 建设3支新闻宣传骨干队伍。建设一支行业新闻宣传通讯员队伍、一支骨干旅游记者队伍、一支旅游新闻宣传专家队伍，召开全国旅游新闻宣传工作座谈会。

（十五）加强旅游理论研究和人才队伍建设，增强产业发展后劲

52. 加强旅游研究。适应旅游业的发展形势，加强旅游基础理论和应用理论研究。

53. 实施旅游人才促进计划。评选表彰全国旅游系统先进集

体、劳动模范和先进工作者。召开全国旅游人才工作会议。继续实施导游“云课堂”培训研修。深化旅游人才发展体制机制改革，推动旅游职业教育改革和旅游职业分类改革。继续实施万名旅游英才计划等行业重点人才培养计划，开展旅游人才培养国际合作。

54. 加强党风廉政建设，着力提高干部队伍素质。（1）加强廉政建设，树立良好行风。全行业要深入学习贯彻习总书记的系列重要讲话精神和中央纪委六次全会要求，以实际行动坚定不移地向党中央看齐，奋力争当“四个自觉”模范，巩固拓展“三严三实”专题教育成果，持之以恒落实中央八项规定精神，积极开展“两学一做”学习教育活动，落实好党风廉政建设主体责任和监督责任，扎实推进旅游行业党风廉政建设和反腐败工作，以更加严和实的作风推进旅游事业改革发展。（2）加强对地市县分管领导及全系统各级干部、员工的培训。（3）加强旅游专业队伍建设。强化专业思维，努力造就一支具有世界眼光和国际服务水准的高素质、复合型旅游管理人才队伍。

长风破浪会有时，直挂云帆济沧海。同志们！今年的工作目标宏伟、任务艰巨，我们要在思想上、政治上同以习近平同志为总书记的党中央保持高度一致，深入贯彻党的五中全会和中央经济工作会议精神，迎着全面建设小康社会的东风，迎着正在兴起的大众旅游时代，迎着世界旅游发展的大潮，开阔视野、勇于进取，加快从景点旅游走向全域旅游，奋力开创我国“十三五”旅游发展新局面！

第二篇
中国旅游智库学术报告

大力发展旅游业
推进旅游强国建设

——学习中共中央“十三五”规划建议的一些体会

（2016年1月29日）

国务院研究室原主任、中国旅游智库主任　魏礼群

很高兴应邀参加今天的全国旅游工作会议。上午，会议传达了李克强总理的重要批示，总理充分肯定了去年全国旅游系统的工作，明确指出了今年旅游工作的方向和任务，特别要求“为建设世界旅游强国做出新贡献”，很受教育和鼓舞。国家旅游局李金早局长也作了一个很好的工作报告。按照会议的安排，我作一个大会发言。

党的十八届五中全会通过的《中共中央关于制定国民经济和

社会发展第十三个五年规划的建议》，从党和国家战略全局出发，明确提出了“十三五”规划的指导思想、基本原则、目标要求、基本理念、重大举措，描绘了未来五年国家发展蓝图，是指导和动员全国人民夺取全面建成小康社会的纲领性文件。这个历史性文献中明确提出：**“大力发展旅游业”**。这是一项重大的决策部署。这里，我主要就学习领会和贯彻落实中央关于“大力发展旅游业”的决策部署，讲几点个人学习体会，主要是为什么要大力发展旅游业，发展什么，怎么发展，如何实现发展，与大家一起交流。

一、大力发展旅游业是关乎国家发展全局和长远的战略决策

“十三五”时期是中国发展历史上极为重要的时期，这是全国建设小康社会的决胜时期，也是我国现代化建设两大发展战略阶段，即全面建设小康社会和基本实现现代化承上启下的关键时期，还是我国经济发展爬坡过坎，跨越“中等收入陷阱”的关键时期。在如此重要的时期，为什么中央高度重视旅游业，强调“大力发展旅游业”？我认为，这是中央统揽国家发展全局、顺应发展新趋势新任务新要求，以及准确把握新的历史条件下旅游业丰富内涵、战略地位和特殊作用，所作出的重大决策。

第一，大力发展旅游业，是我国经济社会发展阶段性变化的

客观趋势。经过新中国成立特别是改革开放以来的持续努力，目前我国经济社会发展又呈现阶段性新变化，主要标志是整个经济向形态更高级、分工更优化、结构更合理、服务业占主导地位的阶段演变；消费结构升级加快，由生存型消费向发展型、享受型消费过渡，旅游消费日趋成为居民生活的基本需要。在这种情况下，旅游业作为先导性、引领性现代服务业，作为关联性、渗透性极强的行业，其战略地位和支柱作用越来越重要。按照国际上旅游业发展的一般规律，人均 GDP 达到 5000 美元时，旅游业进入爆发式增长期。2015 年，我国人均 GDP 已接近 8000 美元，预计到 2020 年人均 GDP 将达到 1.2 万美元。全国 13 亿多人口又处在消费结构快速升级阶段，有着极大而丰富的旅游市场需求。因此，旅游业必须有一个大的发展。

第二，大力发展旅游业，是我国经济发展转入新常态的必然要求。党的十八大之后，中央根据经济发展规律的客观要求和现实状况，提出并引领经济发展转入新常态，即速度换挡、结构调整、动力转换，提出并着力推进供给侧结构性改革，这是使我国经济持续健康发展的战略抉择。经济发展转入新常态的过程又是一个复杂的、需要经受阵痛的过程。近两年来，由于多方面的原因，经济下行的压力加大，结构性矛盾突出，新的动力转化缓慢。在这种情况下，旅游业在稳增长、调结构、增就业和新旧动力接续中的作用更加突出，已经成为促进投资和消费、拉动基础设施和公共服务建设、稳增长和就业创业的关键驱动力。据世界旅游组织统计，旅游业每收入 1 元，可带动相关产业增加收入 4

元以上，旅游业能够影响、带动和促进与之相关联的 110 多个行业发展，包括对民航、铁路、公路、餐饮、住宿、商业、通讯、会展、博览、金融、文化、娱乐、体育等行业都有不同程度的拉动作用。从实施供给侧改革看，现在实行去除过剩产能，优化供给结构，增进供给体系质量和效率，发展服务业特别是旅游业，正是增加有效供给的重要方面。而各类资本、各个地方都可以发展旅游业。近两年，城乡旅游消费连续高于 GDP 的增速，旅游业投资增长明显高于全国投资的增长，都充分说明旅游业在经济发展新常态下的作用越来越大。

第三，大力发展旅游业，是决胜全面建成小康社会的重要支撑。夺取全面建设成小康社会的伟大胜利，需要全面实现既定的到 2020 年奋斗目标任务，包括经济保持中高速增长，产业迈向中高端水平；人民生活水平和质量普遍提高，就业比较充分，贫困人口实现脱贫；国民素质和社会文明程度显著提高；生态环境质量总体改善；各方面制度更加成熟更加定型。实现这五大目标，旅游业都发挥着不可替代的、举足轻重的作用。发展旅游业，对于充分挖掘内需潜力，打造经济增长新引擎具有重要拉动作用；对于发展现代服务业，促进产业结构转型升级、提质增效具有重要推动作用；对于增进人民福祉、改善民生、增加就业、扶贫攻坚、补发展短板具有重要支持作用；对于陶冶人的道德情操、弘扬向善向上风尚，提高国民素质和文明程度具有重要特殊作用；对于发展绿色经济、低碳经济，建设美丽产业、美丽社会、美丽中国具有重要促进作用；对于规范旅游秩序、提高旅游治理水平，从而全面推进国家治理体系和治理能力现代化具有重要基础作用。总之，在决胜全面小康社会的各项目标任务中，都需要旅游业充分发挥优势和独特的重要作用。

第四，大力发展旅游业，是新形势下开展公共外交的有效渠道。旅游外交是国家外交工作的重要组成部分，国际旅游活动是公共外交和国际人文交流的重要平台。随着我国国际地位的提升和人文交流的扩展，开展旅游外交、服务国家外交大局越来越重要。近年来，党和国家领导人多次出席旅游重大外交活动，签署双方举办旅游年和旅游交往协议，与印度、韩国、中东欧等成功举办系列旅游活动，中国政府确定2016年与联合国世界旅游组织共同举办首届世界旅游发展大会，国家旅游局长李金早同志作为国家主席习近平的特使出席汤加国王加冕典礼。这些既服务于国家外交大局，增进了国家间关系，又扩大民间合作交流。国际旅游交往的扩大，也有利提升我国旅游国际话语权，为我国改革发展营造良好的外部环境。

第五，大力发展旅游业，还是提升我国软实力和影响力的战略举措。旅游业是综合性行业，关联性强，功能性多，旅游不仅具有经济价值、投资价值、消费价值、休闲价值，而且具有政治价值、文化价值、社会价值，与中国特色社会主义各项事业、各个领域紧密相连，在经济建设、政治建设、文化建设、社会建设、生态文明建设中，在对接服务国家大局和提升国家国际地位和软实力方面，都可以发挥独特的、十分重要的作用。大力发展旅游业，既有利于充分发挥我国丰富的旅游资源优势，提高旅游整体发展水平和质量，做大做强旅游业，增强我国旅游业的吸引力、影响力、竞争力，又有利于促进经济、政治、文化、社会、生态建设全面协调发展，更好建设经济强国、文化强国、现代化强国，还有利于向世界展示我国社会制度和中华文化的强大生命力与优越性，增强中国特色社会主义的道路自信、理论自信、制度自信。

总之，我们要站在国家全局和战略的高度，深刻认识中央关于“大力发展旅游业”这个重大决策的现实意义和长远意义，不断增强做好旅游工作的自觉性、主动性，积极推动我国旅游业实现更大的发展，加快建设世界旅游强国。

二、切实以发展新理念推动和引领旅游业持续健康发展

“十三五”时期，我国旅游业面临重大发展机遇，迎来“黄金发展期”，也对旅游业发展提出了更高的要求，既要服务于决胜全面小康社会，又要推动旅游大国向旅游强国迈进。统观全局，要用好旅游业发展重大机遇，实现更高要求的发展目标，至关重要的，是要牢固树立和切实贯彻十八届五中全会《建议》提出的五大发展新理念，即“创新发展、协调发展、绿色发展、开放发展、共享发展”，用新的发展理念推动和引领旅游业发展。

习近平总书记指出："发展理念是发展行动的先导，是管全局、管根本、管方向、管长远的东西，是发展思路、发展方向、发展着力点的集中体现。"《建议》强调的创新、协调、绿色、开放、共享五大发展新理念，是关系我国发展全局的一场深刻变革，是"十三五"乃至更长时期我国发展思路、发展方向、发展着力点的集中体现，反映出我们党对我国发展规律的新认识，对破解发展难题、增强发展动力、厚植发展优势具有重大指导意义。我们旅游系统的各项工作，包括"十三五"规划的制定和年度任务的确定，都应当符合和体现这五大发展新理念。

下面，我就贯彻落实五大发展新理念促进我国旅游业新发展，谈一些看法。

（一）实施创新发展，着力提升旅游业发展能力

建设旅游强国，根本上靠创新。要坚持**把创新摆在旅游业发展全局的核心位置和引领发展的第一动力，积极实施创新驱动战略，将创新作为贯穿"十三五"旅游业发展规划和各项工作。大力推进旅游业科技创新、体制创新、制度创新、管理创新、政策创新，拓宽发展新空间、构建发展新体系、推行发展新方式、创造发展新引擎。**

鼓励有条件的地方建立旅游创新创业示范基地，支持建设一批旅游创新创业示范园区、示范企业，建立创新创业孵化平台，鼓励建设协同创新机制和平台，引导构建旅游产业技术创新联盟，将双加（互联网 +、旅游 +）、双创（大众创新、万众创业）

结合起来，推动跨领域跨行业协同创新。促进旅游发展与科技深度融合，支持旅游科技型中小企业健康发展。实施“乡村旅游创客行动计划”，遴选一批“旅游＋互联网”创新示范基地，支持建设一批旅游业的网络众创空间。

用供给创新引领需求，在全国旅游资源富集、特色鲜明、条件成熟的地区，规划建设和培育一批旅游新增长极和新热点。加快推进海洋旅游、乡村旅游、都市旅游、生态旅游、冬季旅游等发展，拓展新空间。加大对中西部地区、贫困地区的旅游开发，培育新的旅游空间和热点。

适应居民旅游消费升级趋势，开发旅游新产品、新业态，大力发展休闲度假产品、文化旅游、健康养生旅游、自驾车房车旅游、发展红色旅游等。发展研学旅游市场，开展多种形式的研学旅游活动。大力发展老年旅游，规范老年旅游服务，鼓励开发多层次、多样化的老年旅游产品。开发婚恋旅游市场，培育婚恋旅游目的地和婚恋旅游产品体系。拓展旅游购物市场，推进境外旅客购物离境退税政策，进一步新增进境口岸免税店，吸引出境购物回流。

着力建设一批具有世界级品牌影响力的旅游城市、旅游景区、旅游饭店、旅游线路、旅游目的地、旅游院校等。鼓励优势旅游品牌企业发展连锁经营，实现品牌价值和资产价值同步跃升。对品牌建设和品牌影响力取得重大进展的旅游企事业单位给予奖励和扶持。鼓励和支持旅游企业以品牌为纽带，进行联合、重组和投资合作。鼓励和支持旅游企业通过海外并购等多种方式创造和发展知名品牌。

鼓励旅游院校与企业之间组建旅游创新创业联盟，开设旅游创新创业实践基地，搭建国际旅游教育与交流平台。鼓励设立各类旅游创业创新人才培训计划、奖励机制。

推动建设国家旅游创新体系，设立国家旅游重大科技专项，建设国家旅游数据中心和国家旅游产业运行监测和应急智慧平台。鼓励将旅游企业培育成为创新主体，培育新型互联网旅游龙头企业。

（二）实施协调发展，着力提升旅游发展整体水平

协调是旅游产业持续发展的内在要求。旅游产业的协调发展重在补齐发展短板，解决发展不平衡问题。**一是**从空间角度，促进城市和乡村、东部和中西部旅游均衡发展。完善乡村旅游基础设施和公共服务建设，推动乡村旅游产品提档升级，逐步提高乡村旅游发展水平。加快完善中西部地区的交通、道路等基础设施建设，充分利用中西部地区丰富的旅游资源和优质的生态环境，推动以文化、生态为特色的主题产品开发。**二是**从产业构成角度，推进各地区餐饮、住宿、交通、景区、购物、娱乐等要素行业均衡发展，为游客提供最优的旅游产品和服务体验；推动旅游各要素行业开发不同价位、不同消费等级的旅游产品和产品组合，满足不同消费水平游客的需求。

促进旅游供给与需求协调发展。人民群众对旅游的需求旺盛，旅游供给总量不足和结构性短缺的现象并存。将旅游业作为

供给侧改革的重点支持产业，提升旅游供给质量和效率，释放和满足旅游需求。实施积极的旅游财税政策、市场决定的价格政策、合理的旅游用地政策和多样化的信贷政策，形成供给侧能够满足多元化多层次需求。

推动旅游区域协调发展。我国一直没有编制区域旅游发展布局和功能分区规划，差异化发展不够。要制定实施《全国旅游发展布局规划》，促进区域旅游产品和特色互补发展。推进不同层级和类型的区域旅游合作，构建各类区域旅游共同体。支持建设跨区域黄金旅游线路、跨区域国家风景廊道。

推进全域旅游发展。建设全域旅游示范区和推进旅游强县建设。重视持续建设环城游憩带建设工作，丰富发展城乡过渡型旅游业态。推动新型城镇化建设与现代旅游产业发展有机结合，建设一批全国特色旅游城镇和特色景观旅游名镇，推进中国特色景观旅游村镇建设。

重视旅游硬环境和旅游软环境协调发展。继续大力推进旅游基础设施和公共服务体系建设，深入推进旅游厕所革命，加快推进旅游停车场、旅游特色交通、景区道路建设，着重发展旅游集散中心、旅游咨询服务点、旅游公交、在线旅游服务等旅游公共服务设施建设，优化旅游要素结构，打造全产业生态链。重点提升刚性旅游消费质量和附加值，提高弹性消费的比例。总的看，我国“重硬轻软”的现象还比较突出，旅游服务质量总体水平差距较大，旅游人才短缺成为旅游业发展瓶颈。迫切需要实施旅游业软件开发和质量提升工程，着力提高旅游公共服务体系和人才开发，完善有利于旅游发展的制度建设，注重提升旅游服务水平和质量。大力实施旅游标准化工程，加快完善旅游标准体系，强化旅游标准管理。

（三）实施绿色发展，着力提升旅游文明价值

坚持绿色发展，就是遵循自然规律，注重节约资源和保护环境，形成游客和自然、游客和社会的和谐发展。**一是**在旅游开发中，坚持保护优先，注重保护自然环境、文化资源和民俗传统，保持资源原生态的美，适度开发、合理开发。积极推进绿色旅游、生态旅游、可持续旅游、低碳旅游、善行旅游，实现旅游业的绿色发展、循环发展和低碳发展。**二是**在旅游发展中，注重对闲置产能的旅游开发、利用，提高资源利用效率。对绿色旅游新业态的发展，给予更多的支持。**三是**倡导绿色消费方式，倡导游客在“食、住、行、游、购、娱”各环节上崇尚节约的旅游消费观。引导企业实施绿色标准、绿色管理，开发绿色产品，研发绿色技术，实现绿色发展。引导游客树立绿色旅游价值观，培育绿色旅游文化、绿色旅游伦理。**四是**构建绿色发展机制，创新相关制度安排。构建源头预防、过程控制、损害赔偿、责任追究的绿色管理制度，形成旅游开发与生态环境保护良性互动运行机制。建立旅游生态补偿制度。对生态旅游区实施生态环境审计和问责制度，对国家公园、国家旅游生态示范区等环境敏感型景区实施旅游负面清单制度和环境公益诉讼制度。推行政府抽查和社会监督相结合的监管制度。**五是**实施绿色发展规划，坚守生态环境保

护红线。实施最严格的旅游生态环境保护制度，严格旅游项目生态环境评价，推出旅游功能区划分，优化国土空间开发格局。**六是**实施旅游行业节能减排计划。节约集约旅游用水、用地，加强旅游用水需求规划与管理，推广高效节水技术和产品，建设节水型景区、节水型酒店和节水型旅游村镇。开展旅游产业重点环节的节能低碳行动，实施旅游能效提升计划。构建循环型旅游产业体系，提高旅游业资源产出率。**七是**构建绿色旅游产品认证体系。推广“国家绿道、绿色酒店、绿色景区，绿色旅游商品”等绿色产品体系，推行绿色旅游产品认证制度、绿色旅游企业认证制度。推进国家公园、国家自然风景廊道、生态旅游示范区、国家生态文明旅游示范区等相关绿色旅游发展试点工作，重点建设国家西部生态文明旅游示范区和国家东部生态文明旅游示范区。

（四）实施开放发展，着力构建旅游开放合作新格局

发挥旅游业在国家外交和对外开放合作中的纽带和桥梁作用，深化旅游外交合作，不断提高旅游对外开放水平，形成互利共赢、多元平衡的旅游开放和外交新格局。

大力推进旅游外交，服务于中国大国外交、经略周边及“一带一路”国家战略，不断深化中国与世界大国、周边国家、传统友好国家的旅游合作交流，构建旅游开放合作新格局。务实推进我国与欧洲、北美、亚太、中东、非洲等在旅游领域中的国际交流与合作。深化中美旅游对话与合作，办好中美旅游年。全面加强中俄旅游交流，拓展中俄红色旅游合作新领域。推进中英、中

法旅游合作。举办中韩、中印旅游年和中国－东盟旅游博览会，推进与韩国、印度、东盟等周边国家的旅游合作交流。扩大与传统友好国家和发展中国家的旅游交流。

着力深化“一带一路”国际旅游合作。加强与沿线国家旅游投资合作，联合打造有丝绸之路特色的国际精品旅游线路和旅游产品；依托丝绸之路沿线各国认知度、共识度高的文化资源，打造旅游文化节庆活动，构建旅游文化品牌，全面提升丝绸之路旅游品牌的国际知名度和影响力。推动21世纪海上丝绸之路旅游合作。

制定实施中国国际旅游竞争力提升战略和行动计划。推进入境旅游签证便利化，推动符合条件的口岸开展外国人签证业务，完善外国人72小时过境免签政策，逐步扩大实施范围。优化邮轮入境政策，简化入境旅游通关手续。优化完善旅游商业环境，丰富旅游文化内涵，着力提升国际旅游竞争力。完善入境旅游服务体系，把握国际游客出游特点，提供多语种的旅游电子地图和信息服务，提升入境游客满意度。

构建国际旅游合作发展新平台。**一是**积极推进建设一批跨境旅游合作区、边境旅游实验区建设，建立一套申报、筛选、结对、管理、评估的规范程序。**二是**集中力量成功举办2016年世界旅游发展大会，2017年世界旅游组织第22届全体大会、2018年世界旅游业理事会大会，以举办这些国际旅游大会为契机，加大旅游国际交往与合作。鼓励、支持在中国建立全球导游工作者协会、国际旅游志愿者联合会、国际旅游扶贫联合会等国际性旅游组织，影响和引领全球旅游业发展。三是发起推动成立世界旅游发展研究中心，提升中国在国际旅游事务中的话语权和规则制定权，扩大中国在国际旅游组织中的影响力，积极参与国际旅游组织活动。

推动中国旅游业“走出去”。配合国家“走出去”战略，制定实施中国旅游业“走出去”发展战略。鼓励有条件的中国旅游企业进行海外投资和并购，积极参与全球旅游产业分工与合作。鼓励旅游企业利用国外国内两种资源、两个市场，建立主要面向中国公民的海外旅游接待体系。引导中国公民出境旅游，推动中国公民主要出境旅游目的地国家完善媒体、导游、景区等中文服务体系。

深化与港澳台旅游合作。推动澳门世界旅游休闲中心加快建设进程和经济适度多元发展，促进广东横琴与澳门旅游协同发展；支持香港建设多元旅游合作平台，打造香港国际旅游投资融资中心。鼓励香港、澳门发挥独特优势，参与助力“一带一路”旅游建设。深化海峡两岸旅游合作，进一步推动海西经济区对台旅游交流。利用广东、福建自由贸易试验区建设契机，进一步扩大对港澳台地区旅游领域开放。

（五）实施共享发展，着力推动旅游普惠民生

坚持大众参与、全民共享的发展理念，保障人民群众公平享有旅游权利，使旅游业发展成果普惠全体人民。

主动服务国家扶贫攻坚。大力实施旅游精准扶贫工程，制定

全国集中连片特困地区和旅游扶贫试点村旅游发展规划，加快推进建档立卡贫困村旅游资源普查工作，针对有条件的贫困村大力发展旅游业，确保旅游扶贫精准到村、到户、到人。重点支持旅游基础设施和公共服务设施建设，大力扶持家庭旅馆、纪念品店等旅游扶贫项目建设。鼓励各地结合实际出台旅游扶贫政策。完善旅游扶贫动态跟踪机制，强化旅游扶贫工作考核和评估检查。

发挥旅游领域就业岗位多的优势，促进旅游大众就业、万众创新。引导和支持返乡农民工、大学毕业生、专业技术人员等围绕发展旅游服务实现自主创业。鼓励农村居民通过资金、人力、土地参与乡村旅游经营获取入股分红。支持旅游企业参与集中连片贫困地区的旅游开发，推进各类旅游企事业单位和社会组织与旅游扶贫村对口帮扶。鼓励农民直接参与旅游经营，支持农民开办农家乐、经营乡村旅馆。积极开展旅游志愿者服务活动，吸引学生、退休人员、公益组织参与到旅游志愿者服务中。推出一批志愿者讲解员、志愿者导游员。

保障儿童、学生、老年人旅游权利。对老年人和学生等特殊群体，研究出台旅游保险补贴政策。完善面向老年人、残疾人等人群的旅游服务标准、景区建设规范。逐步扩大免费景区范围，落实门票价格减免优惠政策，鼓励降低门票价格。

加强文明旅游正面宣传教育，传播行业正能量。同时，加强文明旅游警示教育，惩戒旅游不文明行为，发挥警示教育作用。积极推动将规范游客不文明行为纳入法律法规，依法对不文明旅游者的追责，加重对不文明行为的处罚。

共建共享安全旅游环境。完善旅游应急救援体系，建立旅游安全预警机制，努力编织旅游安全防护网。加强境外旅行安全提示、热点景区景点最大承载量警示、旅游目的地安全风险提示等旅游安全提示信息的发布渠道建设，提高安全提示信息的受众面和时效性、新模式。完善旅游保险保障体系，继续实施旅行社责任保险全国统保示范项目，推动住宿、旅游交通及高风险旅游项目等经营者实施责任保险制度；继续深化“旅保合作”机制，推动保险机构完善旅游保险产品和服务。提高出境旅游保险保障和服务水平。

实施创新发展、协调发展、绿色发展、开放发展、共享发展，**既是对旅游业发展的革新升级，又是对现代旅游业内涵的丰富发展，增强旅游发展整体性、优质性、协调性、包容性、可持续性**，可以顺利实现由小康型旅游大国向富裕型旅游大国的跨越，为全面建设世界旅游强国奠定坚实基础。

三、实现旅游业更大更好发展需要把握好几个关键环节

贯彻落实中央关于“大力发展旅游业”的重大决策，开辟我国旅游业发展新境界、新局面，向建设旅游强国迈进，既要明确前进的正确方向，还要把握好以下关键环节。

（一）认真制定旅游业发展规划

通过制定实施中长期规划引领、推动发展，是我国发展模式的重要特色，也是中国道路成功的重要元素，制定好规划无论是对于国家发展还是旅游发展都至关重要。

习近平总书记指出："规划科学是最大的效益，规划失误是最大的浪费，规划折腾是最大的忌讳"。现在，我国正处于由旅游大国向世界旅游强国迈进的关键阶段，更必须切实加强和改进规划工作，一定要把旅游中长期规划制定好。

1.编制好旅游业"十三五"发展规划

充分体现五大发展理念，科学引领旅游改革发展。**一是**做好与国家国民经济和社会发展十三五规划相衔接，同时做好与城乡、国土、交通等多种规划的衔接和协调，以及一带一路规划、长江经济带规划、京津冀协同发展规划等国家重大规划的衔接，争取更好体现旅游产业地位、空间布局、功能元素，与国家重大规划更加紧密结合，使十三五旅游发展规划在多种规融合当中提升战略性、操作性和落地性。**二是**各省、市、自治区十三五发展旅游业规划和重点旅游企业旅游发展规划要与全国旅游业十三五发展规划相衔接，使规划更有指导性和可行性。各级规划都应突出重点，特别是要研究确定一批重大工程、重大项目、重大政策。要更好地发挥市场对于资源配置的决定性作用，更加重视发挥企业作为市场主体的作用。**三是**将全国旅游系统正在推进的重点旅游工作，系统化集成，纳入十三五旅游规划，使规划与工作更加紧密结合，强化规划实施的工作基础。**四是**广纳群言、善聚民智。通过网络、媒体等渠道来广泛征求意见，使规划编制过程成为最大程度凝聚社会共识的过程。进一步开辟公众参与渠道，创新公众参与方式，提高公众参与程度和建言献策质量，使规划更大程度反映公众需求。

2.加强旅游业发展规划体系建设

一是在制定实施十三五规划的基础上，研究制定《2025 中国旅游》，谋划未来 10 年中国旅游业发展，还要谋划《2050 旅游远景发展战略》。**二是**加快制定旅游信息化发展规划、红色旅游规划、乡村旅游规划等重点领域专项规划；**三是**抓紧完成“一带一路”旅游规划、京津冀旅游一体化规划、长江旅游带发展总体规划及国家东部生态文明旅游区等重点区域规划编制工作；**四是**着手研究黄河旅游带、长城旅游带、运河旅游带、大东北旅游圈发展总体规划；启动跨区域旅游经济带、跨区域旅游圈、跨区域增长极区域旅游提升战略工作。通过健全中长期发展规划和重大专项规划体系，增强引导建设世界旅游强国的预见性、科学性和实效性。

（二）积极推动旅游供给侧改革

供给侧结构性改革，重点是通过深化改革，破除制度障碍，实行政策创新，推进供给体系的调整优化，减少无效和低端供给，扩大有效和优质供给，提高全要素效率，增强供给结构对需求变化的适应性和灵活性，引领培育新需求。这是对整体经济发展的要求，也是对旅游业发展的要求。

供给侧结构改革的一个重要任务，是加快发展现代服务业，推动我国社会生产力水平整体改善。而旅游业显然是朝阳产业，是现代服务业领域最闪亮的“星星”，在“供给侧改革”中能发挥重大作用。

在着力推进供给侧结构性改革中，旅游业承担两大使命，一方面是提升现代服务业在整个经济社会发展中的功能作用，另一方面是提升旅游自身体系的供给质量和效率。

休闲制造业的高速发展将带来巨大市场，盘活存量，成为缓解我国产能过剩的重要抓手。中国制造业的产能过剩不但需要向外转移，更需要通过休闲制造业发展向内转移，造福民生。随着旅游市场规模的扩大，旅游业理应成为新供给中的新动能。随着供给侧改革的深化，通过抓旅游业来抓服务业，进而改善供给将成为许多地方的共同选择。旅游业必将成为新供给时代需要重点发展的领域。

旅游业既要为整体供给侧结构性改革做贡献，又要在改革发展中优化提升自身的供给结构和质量；只有推动自身供给结构改革，才能实现旅游业的转型升级、提质增效发展。可以考虑应把推动旅游供给侧结构性改革作为“十三五”旅游业科学发展的主要抓手，着力抓好以下几个方面：

一是紧盯旅游市场结构变化。虽然市场结构更多是从需求端的角度进行审视，但也为旅游业推进结构性改革提供重要的思路和方向。这就需要认真研究市场需求变化，对应提供相应的旅游供给。**第一是入境、出境、国内旅游市场。**尽管出境旅游发展很快，成为旅游市场的最大热点，但从供给角度看，我们的主要工作还是应该放在大力发展入境旅游和国内旅游上。应根据不同的境外客源需求，有针对性地推出我们的旅游产品。要适应国内旅游的新趋势和新特点，优化传统旅游产品，开发新兴旅游产品。**第二是不同层次的旅游市场。**大众旅游依然是旅游业发展的主体，发展大众化旅游产品依然是不能忽视的工作。同时，由于中国庞大的人口基数，尽管中高端旅游市场比重可能不高，但绝对数额却不小；此外，中高端旅游对整个旅游市场具有很强的引领和示范作用，积极稳妥地发展中高端旅游产品是当下旅游行业迫切的任务。当然，在具体工作中也要防止不切实际地“一哄而上”发展所谓高端旅游。**第三是重点群体的旅游市场。**当前要重点开发面向 2 亿多老龄人口的旅游产品，要根据老年人的特殊需求改造景区景点、住宿设施，完善相关旅游服务，为老年出游提供便利以及优惠。要重视发展青少年旅游市场。要高度重视家庭旅游产品。家庭出游有巨大的潜力。比如，广东横琴长隆海洋主题公园，开业不到两年，接待游客突破 2000 万，其成功的秘诀之一就在于立足于家庭游市场打造产品。

二是优化旅游产品结构。从大的角度看，旅游产品可以分为观光旅游、度假旅游以及特种旅游产品。过去业界谈旅游业转型升级，说得比较多的是要推动旅游业从观光旅游为主向度假旅游为主转变。实际上，观光旅游不可能消失，而且将长期保持很大的市场规模。之所以更加强调度假旅游，是因为过去我国对度假旅游重视不够；另外，从旅游发达国家经验看，随着旅游业的发展，度假旅游在整个旅游产品市场中的比例会逐步提高。因此，我们当前更为重要的任务是要多发展度假旅游产品。当然不管是观光，还是度假、特种旅游产品，都应该更加关注游客的体验。在产品组织上，要多增加游客参与和体验方面的内容。除了观光、度假、特种旅游产品的分类方式外，以“旅游市场＋特定资源”构成的旅游产品，也是分析旅游产品的一个视角。比如，“旅游＋森林”构成了森林旅游产品；“旅游＋海洋”，构成了海洋旅游产品，“旅游＋中医药”形成了中医药旅游产品。从这个意义上讲，促进旅游业的转型发展，就需要将存量旅游资源进行有效的开发利用，形成增量的旅游产品。当前，除开发传统的自然文化旅游资源外，要特别注意发掘社会资源发展旅游业。比如，北京把传统的四合院民居加以改造利用，开发出“奥运人家”的旅游产品，就很受游客，特别是深受外国游客的欢迎。

三是调整旅游产业结构。从严格意义上看，旅游业并非一般意义上的产业，而是围绕游客旅游的各个环节形成的一组供给集合。大体上讲，国家统计局发布的《旅游及相关产业统计分类》就体现了旅游产业的这种特点。而这一分类主要还是按照旅游活动涉及的食、住、行、游、购、娱过程划定旅游业。一般而言，食住行三个环节被认为是旅游的基本消费环节，游购娱被看作是非基本环节，也就是消费弹性较高的环节。当前，特别需要提高游、购、娱的比重。首先要做的是提升旅游景区。当前旅游景区发展水平良莠不齐，提升空间很大。解决的思路，一种是景区托管模式。不过由于旅游景区远比饭店情况复杂，加之许多景区托管公司自身也缺乏经营能力和相应的人才队伍，其成效如何还需要进一步观察。其次是通过引入外来资本重新提升传统景区。比较成功的案例是，中信产业投资基金通过资本控股、经营管理团队重建等方式改造河北白石山景区，在很短时间内就成为河北旅游收入最高的旅游景区。当然，对外引资也需要防止一部分投资商占据优质旅游资源而不实际开发利用的情况。再次，购和娱两个环节也很重要。对多年来着力很多，却收效甚微的旅游购物环节，可以考虑借鉴“金色宝藏”公司专门做寺庙高端佛教用品的思路，推动旅游景区点旅游购物的服务外包，通过专业化的公司来提升旅游购物的设计和营销水平。再比如旅游娱乐，可以考虑在目前的旅游演艺之外，大力开发夜间旅游娱乐项目，增加游客的参与性。当然，食住行三个基本消费环节内部也有结构优化的问题。像住宿领域，一方面，不少高星级商务饭店经营困难；而另一方面，许多特色民宿、主题酒店在市场上却大受追捧。我们应该调整过去以星级饭店为主的旅游住宿业发展方式，将工作重点放到特色主题住宿上。

四是改革旅游企业结构。这方面要鼓励发挥各种所有制旅游企业的优势，提高旅游供给质量和效率。鉴于我国旅游企业存在弱、小、散的状况，要通过相应措施提高旅行社行业的集中度，在目前的 2 万多家旅行社中形成一批具有引领作用的旅游企业。除此之外，在旅游企业结构中，各地比较关注的还有国有旅游企业重组的问题。目前北京、广东、浙江、江西、安徽、陕西等省（市）都成立了国有旅游企业集团，一些城市也成立了市属的旅游集团或者旅游投资公司。这些国有旅游企业对整合辖区内分散的旅游企业，提升政府对旅游业发展的引导能力具有积极的作用。但实际运行中，许多国有旅游企业也不同程度地存在着机械组合多、协同发展少，本地经营多、跨区域经营少等问题。因此，还需要采取更为有效的改革措施，进一步提升国有旅游企业的竞争力。

五是协调旅游区域结构。从大尺度看，旅游区域结构需要解决东中西部旅游业布局的问题。东部地区由于客源基础好，旅游业发展已经进入良性发展的轨道，基本形成了旅游业发展的内生机制。中部地区和西部地区随着交通条件的改善，特别是高铁建设进程的加快，旅游业开始出现井喷式发展的局面。如何依托大交通环境的改善，加快在中西部地区形成一批高质量的旅游项目，发展多元化、特色化、精品化的旅游产品，是未来旅游发展的重要任务。旅游业发展不应全面开花，要集中力量，着重推动形成一批重点旅游目的地、全域旅游示范区、旅游产业聚集区。除此之外，要形成分级发展的旅游区域布局。不能所有的城市都把建设国际旅游城市、国际旅游目的地作为目标。对旅游发展条件好的区域，要在资金、政策、体制等方面进行倾斜，支持其形成以旅游业为主导的发展格局。对旅游资源一般的城市，要推动其形成基本的旅游功能，并推动建设一些有特色的旅游项目。同时，每个城市都应该形成一些以服务本地市民为主的旅游休闲区、旅游休闲带，通过有效的旅游供给满足人民群众日益增长的旅游需求。

在优化以上供给结构的同时，尤其要优化和提升旅游服务体系，着力提高旅游服务质量和效率，改进旅游服务方式，优化旅游环境。这是推进旅游供给侧改革的重要方面。实施旅游质量提升与环境优化计划。进一步完善旅游目的地评价体系，完善以游客评价为中心、第三方组织的覆盖旅游各要素的旅游满意度调查评价体系，提高评价的公开公信度和权威性。与大旅游大数据企业合作，鼓励建立市场化、社会化的旅游质量评价体系，加强游客满意度调查评价信息的共享，建立健全旅游产业链和涉旅部门之间的规范协调和协商制度。督促有关行业、地区、企业改进和提高服务意识和水平，形成共同提升游客满意度的工作合力。

（三）加大旅游业投入力度

要使旅游业有更大更好的发展，加快建设世界旅游强国，必须大幅度增加对旅游业的投入。

1.加大财政对旅游基础设施建设的支持

交通等基础设施和公共服务设施是发展旅游业不可缺少的物质基础，具有典型的公益性、公共性和基础性。而这方面又是我国旅游业发展的短板。必须尽快改变这方面建设滞后的状况。

一是，加大政府对旅游基础设施建设的投资性支出。中央财政要逐步增加在旅游项目总投资中特别是增加对基础设施建设的投资，设立旅游基础设施建设专项资金，专门用于全国性的交通网络体系高速公路体系、铁路网络体系和航空网络体系提升，用于重大的旅游干道、旅游专列和旅游航线建设，用于国家级重点旅游景区包括国家风景名胜区、世界文化遗产、国家地质公园、国家历史文化名城重点保护街区等在内的基础设施和配套服务设施的建设。与此同时，地方财政也要不断增加对旅游的投入，建立旅游基础设施建设专项资金，用于地方性的重点旅游景区的基础设施建设，并配套中央财政资金，加强当地的交通网络体系、旅游交通体系和国家级重点旅游景区的建设。

二是，安排国债资金加强旅游基础设施建设。重点支持资源品位较高、发展潜力较大、所依托的主要交通干线建设已基本完成的国家级或省级旅游景区的项目。国债资金的主要投向包括地区或城市的旅游咨询服务、旅游信息、提示、旅游紧急救援等公共服务体系，旅游集散中心、游客中心、旅游厕所、标识标牌等公共服务设施，旅游国际航线、旅游支线机场建设，通往主要旅游景区的公路、铁路、水路客运公共服务体系建设，旅游景区配套的旅游道路、垃圾污水处理设施、供水供电设施以及景区厕所、停车场、游客中心等配套基础设施建设、自然环境和文化遗产保护设施等。同时，允许有条件的地方政府发行地方国债，并将地方国债资金用于地方旅游公共服务体系建设、地方性的重要旅游景区基础设施建设中。

三是，加大中央财政对中西部地区旅游基础设施建设的支持

力度。“一带一路”、“西部大开发”、“中部崛起”等国家战略的实施中西部地区的基础设施得到改善，但还存在着景区内部和景区之间交通网络尚未形成，旅游集散中心还未成型，旅游咨询服务站点和景区游客中心功能不健全，旅游厕所、停车场、旅游标识牌、垃圾污水处理系统等服务体系尚不完善等问题。中央财政应加大对中西部地区的支付力度，特别是加大对革命老区、少数民族地区、边境地区、贫困地区的支持。利用旅游发展基金增加对旅游景区基础设施的开发补助。地方的旅游发展基金要适当增加对旅游景区基础设施建设的补贴，支持当地的旅游景区景点服务水平的提高。

2.加大对旅游营销的财政支持，深度开拓旅游客源市场

旅游营销具有公共性和外部性的特征，政府必须加强财政支持。**一是建立旅游品牌建设专项资金，**从中央财政预算和旅游发展基金中列支出旅游品牌建设专项资金，重点支持国家代表性的标杆性的旅游品牌的建设和宣传，各级地方政府从省级财政预算、旅游景区收入以及旅游税收地方所得部分中安排一定额度，设立旅游品牌建设专项资金，支持打造适合本地的旅游品牌。**二是财政预算中设立旅游宣传促销专项资金，**并提高旅游宣传促销费用在旅游发展基金中的支出比例，保证对旅游营销的资金支持。

3.加大旅游重点项目建设资金投入

一是设立旅游重大项目建设专项资金。每年安排一定资金，采取以奖代投、以奖代补、财政贴息、财政补助等方式，重点支持重大旅游项目建设。扶持建设一批特色鲜明、影响力大、带动性强、经济社会效益好、竞争力强的大型旅游项目和精品旅游项目，丰富旅游市场供给，完善旅游产业链条，加快知名旅游目的地的打造，推动旅游产业的整体快速发展。**二是支持推进国家级重点景区景点的建设和改造。**积极争取中央国债资金支持重点景区的改造、扩建工程建设；降低民间资本进入门槛，吸引多元化的资金支持景区景点改造。**三是整合地方财政旅游发展专项资金、服务业引导资金等专项资金，**并吸引社会私募资金，发起设立旅游产业投资基金，重点支持地方旅游产业项目建设和旅游产品开发。

4.加大对旅游企业扶持力度

一是加大财政资金支持力度。逐步扩大中央财政预算扶持旅游中小企业发展的专项资金规模，重点支持中小企业技术创新、节能减排、开拓市场、扩大就业，以及改善对中小企业的公共服务。加快设立国家中小企业发展基金，发挥财政资金的引导作用，带动社会资金支持中小企业发展。地方财政也要加大对中小企业的支持力度。**二是落实和完善税收优惠政策。**包括营业税优惠措施，纪念馆、博物馆、文化馆、美术馆、展览馆、书画院、图书馆、文物保护单位举办文化活动所售第一道门票收入，宗教场所举办文化、宗教活动的门票收入免征营业税；企业所得税优惠措施，房产税、城镇土地使用税方面的优惠措施等。**三是创新投融资机制，打造旅游企业融资平台。**财政注资，成立旅游融资担保公司，为中小旅游企业特别是旅游上下游企业提供信贷担保和财政贴息，缓解其融资难题。支持大型旅游企业或中小旅游企业联合发行企业债券，拓宽企业融资渠道。支持有实力、有竞争优势的大型旅游企业到海外上市融资，实现做大做强。以政府投入为引导资金，打造多元化投融资平台，广泛吸收外资和民间资本，降低民营、外资企业进入旅游行业门槛，鼓励和吸引社会资本进入旅游产业各个领域，实现多种所有制旅游企业融合互补、协调发展。

（四）全面深化改革开放

实现旅游业的大发展，加快建设旅游强国，关键在深化改革、提高对外开放水平。

1.完善旅游市场体系，推进旅游市场放开放活

一要进一步完善公开、平等、规范的旅游市场准入制度，充分发挥市场在旅游投资、市场开发、产品促销、经营服务等与旅游企业经营行为密切相关领域的决定性作用。二要尽快消除行政分割和地区壁垒，建立公开、平等、规范的市场准入制度，对从事旅游经营的各类企业，应公平对待，不得区别歧视。

2.全面深化旅游企业改革，加快建设一批具有国际竞争力的旅游企业集团

一是培育大型旅游集团。进一步创新企业机制，以资产重

组为契机，以产权制度改革为内容，以培育多元化的市场主体为着力点，深化现代企业制度建设步伐。坚持以培育主业清晰、发展路径明确、竞争优势明显的大型旅游集团为基本方向，依托有竞争力的旅游企业，实施强强联合、兼并重组、境外并购和投资合作及上市等途径，促进规模化、品牌化、网络化经营，通过市场培育形成一批拥有自主知识产权和知名品牌、具有较强竞争力的大型旅游企业集团，提高产业集中度。二是积极支持中小旅游企业发展。引导和支持中小旅游企业提高经营管理水平和自身市场开拓能力。实施中小旅游企业信息化推进工程，加快推进中小旅游企业服务体系建设。建立中小旅游企业发展专项基金。三是鼓励旅游企业加强品牌建设。引导旅游企业将发展自主品牌作为企业战略重点，支持旅游企业通过自主开发、联合开发、国内外并购等多种方式发展自主品牌。引导企业通过国际参展、宣传营销、质量认证、公共服务平台等多种形式和渠道，提高自主品牌的知名度和竞争力。

3.深化旅游管理体制改革，推进国家旅游治理现代化

一要深化旅游行政管理体制改革。强化旅游的综合协调、综合治理职能，推进旅游大部制改革。提升旅游部门统筹职能，探索旅游部门协调各方、整合相关资源、促进旅游业发展的体制机制。同时，要加强交通等相关部门的协调配合。**二要**转变政府职能，变“管控旅游”为“服务旅游”，减少对市场主体的干预。简化旅游行政审批，建立高效、便捷的行政审批制度。强化政府市场监管、公共服务职能。三要抓紧完善和改革旅游业统计体制、统计体系和统计制度、统计方法，以全面、科学、准确统计和反映旅游业的发展状况和对国家的综合贡献。

4.改革和完善法定假期制度，合理享用旅游资源

抓紧研究实行分散旅客流动政策，特别要抓紧研究解决如何避免“黄金周”期间数以亿计的旅客给交通、旅店、景点造成无法承受的压力和负担。一是严格执行职工带薪休假制度，通过采取健全法规、支持政策、鼓励办法，务必使职工带薪休假制度法制化、规范化、普遍化。二是按照国务院文件规定，鼓励错峰休假、弹性休息。三是研究改革全国所有学校的寒暑假制度。最近有专家研究提出了这个建议，即把总共约两个月的寒暑假分到全年 12 个月休息，即每个月 5 天，加上每月还有 4 个周末，每月共有 13 ～ 14 天的假日。这样，既可以促进旅游业大发展，也可以改革教育制度，提高教育质量。这是个大胆设想建议，可以深入研究。

（五）大力整顿规范旅游市场秩序

旅游市场秩序混乱，是我国旅游业发展中的痼疾、顽症，严重影响旅游业持续发展。近年来，国家旅游局严厉整治旅游市场秩序，收到一定成效，深受社会好评。但问题并没有得到根本解决。必须坚持依法治旅，坚持不懈整顿和规范旅游市场秩序。要以构建人民群众满意的旅游市场环境为目标，坚持标本兼治、惩

建并举，着力完善市场主体退出机制，着力创新旅游监管体制，着力提升旅游服务质量，形成“政府主导、属地管理、部门联动、行业自律、各司其职、齐抓共管”的工作格局，营造文明、有序、安全、便捷、高效的旅游环境，逐步实现市场有序、竞争有序、管理有序、出游有序的目标。

一是深入开展专项治理行动。大力开展打击“不合理低价游”和强迫购物消费行为专项行动，集中处理一批典型案件。大力开展打击虚假广告、不签订合同、未经游客同意转团或拼团、擅自变更行程、强制购物等行为。大力开展打击出境游“零负团费”专项行动，查处一批违法违规的旅游企业和从业人员。大力开展景区乱收费、随意涨价和变相涨价的现象，维护旅游者权益。

二是转变旅游监管方式。主要抓好“两发布、三建立”。一是发布“全国旅游市场秩序综合水平指数”（TOI），使之成为考核各地政府工作和旅游目的地管理质量的“指挥棒”。二是发布旅游目的地警示，对整治不力、问题多发的重点地方，分级发布红、橙、黄、蓝旅游警示，使其成为游客选择出行的“晴雨表”。三是建立“重点监管区”机制，确定重点监管的区域或企业。四是建立“旅游纠纷”调解机制，做到调解纠纷关口前移、矛盾纠纷化解前置。五是建立“双随机”抽查机制，随机抽取被检查对象、随机选派检查人员，加强事中事后监管。六是建立综合监管体制，加强综合监管，提高监管效能。七是强化新闻媒体监视监督和鼓励社会公众监管。

三是健全完善诚信体系。建立信息共享制度，国家旅游局将游客不文明记录、旅游经营不良信息记录与国务院有关部门实现共享联合惩戒。建立旅游失信记录信息发布制度，通过官方网站、微博、微信和新闻发布会等形式，定期发布游客不文明行为记录、旅游经营不良信息记录。建立服务质量提升制度，推出“中国旅游服务品牌名录”，每年选树一批旅行社、旅游住宿、旅游购物、旅游餐饮、旅游娱乐、旅游客车的旅游服务优质品牌，营造“有信者荣、失信者耻、无信者忧”的氛围，形成自觉遵纪守法、诚实守信的良好新风尚。

四是引导游客理性消费。开展理性消费宣传，通过典型案例的剖析，引导游客认清虚假宣传、不合理低价游的危害，明明白白消费。普及出行知识宣传，通过公益广告、宣传手册等方式，引导游客选择正规旅行社，签订旅游合同，保留发票、行程单等资料，依法合理维权。

（六）更加重视旅游宣传营销推介

世界旅游强国无不高度重视旅游的宣传推介。亚洲金融危机期间，时任韩国总统金大中在电视上亲身作为韩国旅游的形象大使，呼吁海外游客到韩旅游。不少国家成立专门机构，在海外宣传本国的旅游优势。目前，我国独特而丰富的旅游资源、成本低廉而便利的旅游条件，在国外并不是广为知晓，迫切需要加大宣传推介力度，提高国家旅游知名度，努力扩大国际旅游市场份额。与此同时，世界旅游业与其他产业、其他领域的横向和纵向联系更加密切，旅游的领域不断拓展，内涵不断丰富，新的业态不断出现，形成了大旅游的发展格局。与之相适应，我国旅游业的对外宣传推介应纳入国家大外宣战略，一方面，把旅游宣传推介作为民间外交的重要内容和方式，通过旅游渠道扩大中国文化的影响，展示发展成就，树立国际形象，提升国家软实力；另一方面，更有效地动员、整合与协调各方力量，共同推进旅游对外宣传推介工作，不断提升中国旅游的整体形象和知名度。

一是研究制定“国民旅游宣传推介计划”。通过总体谋划和系统推进，使地方政府、企业、有关部门和社会各方力量得到充分调动，使各方面的努力形成合力，有效提高旅游对外宣传推介的效果。可以考虑在每年 9 月 27 日的世界旅游日，在国内设立“中国旅游节”，以此为载体，调动各方力量，把旅游推介活动不断推向高潮。

二是充分利用各种大型国际会展和经贸洽谈、文化交流、体育赛事等，与旅游宣传推介有机结合起来，达到一举多得的效果。各级政府在准备相关活动时，应安排旅游主管部门参与，和活动主办方一起共同策划，把旅游推介内容融入活动主题，起到相得益彰的作用。

三是鼓励和支持中央电视台设立对外旅游频道或旅游专栏，以此作为国家大外宣战略的一个具体举措，充分发挥电视在方便、直观地宣传旅游方面的优势。不但要通过旅游频道或专栏向各国广为宣传我国的旅游资源和旅游资讯，而且要争取使旅游频道或专栏本身成为中央电视台外宣和拓展全球业务的一个重要品牌。

同时，鼓励有条件的地方充分利用信息技术开设特色旅游频道或栏目，积极开拓特定市场的客源，作为大外宣主渠道的重要补充。

四是实施“网上中国旅游”工程。重视和发挥好网络信息技术的独特优势，把通过互联网系统推介中国旅游作为一项重要工作来抓。建议由旅游主管部门牵头，政府有关部门以及行业组织、企业参与配合，推进相关工作。通过系统策划和设计，以旅游宣传推介、旅游资讯发布、旅游产品和服务网上预订等为主要功能，形成一个信息发布权威、技术标准规范、服务内容丰富、链接便利的开放式的综合网站，打造网上旅游服务的顶级平台，充分发挥其权威效应、综合效应、规模效应和品牌效应。

五是加大景区、景点宣传营销推进力度。所有景区、景点都要增强自我宣介、营销意识，提高宣介营销水平，提升景区、景点知名度，方便旅客阅知，增强旅游效果。

此外，建议研究修改中国旅游标志。用旅游图形标志来塑造和传播某个国家和城市的旅游形象，是国际通行的做法。1983年，马超龙雀造型确定为中国旅游标志，并沿用至今。但据调查，马超龙雀在国际国内认知度很低，没有长城、故宫、熊猫等旅游元素在国内外游客中的影响力大。为适应中国旅游走出国门、走向世界的需要，有必要重新甄选更具中国代表性和更加国际化的标志，代表中国旅游的新形象。

“大力发展旅游业”。这是一篇内涵丰富的大文章，需要深化研究，更需要创新实践。让我们共同努力，不断开创中国旅游业大发展的新局面、新境界，为建设世界旅游强国做出新贡献！

第三篇

部分省区市领导讲话

发挥北京旅游在推进京津冀旅游一体化中的作用

（2016年1月29日）

北京市人民政府副市长　程　红

一、京津冀旅游一体化的进展情况

京津冀旅游资源极其丰富，共有世界遗产9处，国家重点文物保护单位和国家级自然保护区444处，国家5A级旅游景区14处，其中许多都闻名全国、享誉世界。推进三地旅游一体化发展不仅具有天然优势，而且也是大势所趋。在首都发展进入新阶段、城市治理面临战略性抉择的关键时刻，习近平总书记视察北京并发表重要讲话，明确了北京是全国政治中心、文化中心、国际交往中心、科技创新中心的城市战略定位和建设国际一流的和谐宜居之都的目标，对推动京津冀协同发展提出了明确要求。中央把京津冀协同发展确立为重大国家战略，制定了《京津冀协同发展规划纲要》，为京津冀区域旅游发展提供了新机遇。京津冀三地党委政府搭建了“4+N”功能承接平台，其中旅游业是重点对接产业之一。2014 年以来，北京市旅游部门积极顺应形势，主动与津冀两地旅游部门加强沟通，达成“互联互通、旅游先通”的共识，按照北京市与河北省、天津市签署的“6+1”和“1+5”合作协议，围绕组织一体化、管理一体化、市场一体化、协调一体化的“四个一体化”目标，密切协作，稳步推进。

一是建立了工作协调机制。自觉打破“一亩三分地”的思维定式，加强顶层设计和统筹协调，建立了“京津冀旅游协同发展工作协调机制”，已经成功召开了 5 次三地旅游工作会议，分阶段研究和解决有关问题。

二是推动了体制机制创新。着力打破条块分割、消除隐形壁垒，建立健全了旅游市场联合执法监管机制、旅游投诉受理协调机制、信息共享机制，努力破解制约三地旅游一体化发展的深层次矛盾和问题。

三是出台了相关政策。推动编制了京津冀旅游一体化协同发展规划、京东休闲旅游示范区建设行动计划等政策文件，签署了旅游市场开发、旅游投融资、智慧旅游、旅游交通、旅游示范区等一揽子合作协议。

四是取得了一定的务实成果。三地旅游部门对达成共识、易于操作的项目，加快实施，率先落地，共同推进旅游“一本书、一张图、一张网”合作项目，成功举办了三地旅游投融资项目推介会。北京平谷、天津蓟县和河北遵化、兴隆、三河联合建立了“京东休闲旅游示范区”。

我们深刻感受到，推进三地旅游一体化发展，离不开三地党委政府的坚强领导，离不开国家旅游局的关心指导。同时，我们也遇到了一些困难和问题，比较突出的有两点：一是政府部门间的交流合作相对较多，但市场机制培育程度不够，市场化合作水平不高；二是虽然初步建立了旅游协同发展的相关机制，但关键性的体制机制障碍短时期还难以消除。

二、推进京津冀旅游一体化面临新的良好机遇

“十三五”时期是我国全面建成小康社会的决胜阶段，是贯彻落实京津冀协同发展战略的关键阶段，无疑也是旅游业充满机遇和挑战的阶段。我们认为，从战略、政策、市场、资源等多种层面来看，京津冀旅游一体化发展站在了新的历史起点上，迎来了重要的黄金发展期。

一是顶层设计的逐步完善，为三地旅游一体化发展指明了方向。中央“十三五”规划建议提出，京津冀协同发展要优化城市空间布局和产业结构，有序疏解北京非首都功能。中共中央政治局常委、国务院副总理张高丽，在去年底主持京津冀协同发展工

作推进会议上强调，要编制实施好京津冀“十三五”规划，努力推动三地“一张图”规划、“一盘棋”建设、“一体化”发展。国家旅游局“515”战略中明确提出，要打破地区藩篱，推进区域旅游一体化，编制京津冀旅游经济圈规划。顶层设计的逐步落地和细化完善，为三地旅游一体化发展进一步指明了方向。

二是京津冀协同发展取得的阶段性成果，为三地旅游一体化发展提供了支撑。京津冀三地已在符合协同发展且现实急需、具备条件、取得共识的交通一体化、生态环境保护、产业升级转移等重点领域进行了率先突破。我们认为，京津冀协同发展取得的阶段性成果，有利于便捷三地旅游交通，使空间的距离、时间的成本得到大幅压缩；有利于改善三地旅游环境，能够让游客游得舒心、游得开心；有利于优化三地旅游产业空间布局，更好地实现优势互补，培育新的旅游产品。

三是京津冀巨大的市场需求，为三地旅游一体化发展奠定了基础。京津冀地域面积 21.6 万平方公里、人口 1.1 亿，地缘相接、人缘相亲，是我国经济最具活力、开放程度最高、创新能力最强、吸纳人口最多的地区之一，是最有可能打造成为一个世界级城市群的一个地区，是能够成为带动我国北方向东北亚、中亚、俄罗斯、欧洲全方位开放的门户地区，具有极大的旅游市场需求和发展潜力，为三地种好旅游“合作田”提供了广阔空间。

四是 2022 年冬奥会的筹办，为三地旅游一体化发展注入了推动力。筹办 2022 年冬奥会，是中央交给的一项光荣任务，也是推动京津冀协同发展的重要举措和一个标志性事件。京、张联合申办和筹办冬奥会是打破行政区划分割、实行区域合作的一个创新之举，资源互补、产业融合必将产生“1 + 1”大于 2 的效应，为三地旅游一体化发展和弥补旅游项目短板创造了良好契机。三地旅游部门应携手加快培育跨区域的冰雪运动旅游带和生态型的休闲度假旅游走廊，努力打造世界著名的京津冀旅游目的地。

三、北京市对持续推进京津冀旅游一体化的几点思考

目前，从中央到三地党委政府对推动京津冀协同发展，都做出了系统规划，提出了明确任务；国家旅游局对推动京津冀旅游协同发展，专门编制了规划纲要，给予了政策支持，进一步增强了我们的信心。2016 年，北京市将持续用力推动三地旅游一体化发展，努力做到在“联动”中“强体”、在“合作”中“增能”、在“共建”中“共赢”。主要有以下五个方面的思考和建议：

第一，联动共建。良好的生态环境既是三地协同发展的重点目标之一，又是很重要的旅游环境。三地应发挥旅游业“绿色产业”的典型特征作用和区域旅游资源优势，共同推动环首都国家公园和森林公园建设，形成绿屏相连、绿廊相通的生态旅游体系和生态旅游产品。以京津冀都市圈为依托，突出市场需求和惠民便民导向，有效整合三地旅游资源，共建三地旅游“一卡通”。

第二，资源共享。我们通常形象地说，京津出门到河北，河北抬腿进京冀，这也是加强合作、资源共享的独特优势。为此，我们应大力实施“产品互促、市场共推、客源互送、品牌共建”战略，共设历史文化、红色精典、自然景观等旅游线路，比如北京至承德至清陵的历史文化线路，西柏坡至香山的红色线路等；分享客源和互送客源，2015 年北京接待游客超过 2.7 亿人次，天津超过 1.7 亿人次，河北超过 3.7 亿人次；共享 72 小时过境免签、境外旅客购物离境退税、天津邮轮等政策；联办 2022 年冬奥会等重大活动。

第三，相互投资。培育市场机制、提高市场化合作水平，是推进三地旅游一体化发展的重点。三地应充分考虑市场主体意愿，尊重市场规律，紧密加强合作。去年，三地旅游部门依托北京旅游资源交易平台，完成总额 500 亿元的 200 个招商项目前期规划，并向社会正式发布，取得了良好效果。下一步，还应通过完善京津冀旅游资源交易平台、建立有效的激励机制、组织旅游招商活动等，鼓励三地旅游企业相互投资，切实做到投资方有“推力”、被投资地有“引力”、相互合作有“动力”。据了解，首农集团与承德市御道口牧场共同开发的“御道口项目”，占地 1000 平方公里，总投资 1000 亿元，其中旅游、农业相关产业项目投资 300 亿元；亿利资源集团与天津中心生态城管委会合作，共同开发的天津中心生态旅游岛综合体项目，占地 1000 亩，总投资约 20 亿元。这些重大项目的实施，有利于加快市场一体化进程。

第四，先行先试。推进三地旅游一体化发展，需要做的工作很多，选择有条件的区域率先进行试点，能够做到牵一发而动全身。北京市将依托曹妃甸新区、新机场临空经济合作区、张承生态功能区、滨海新区等4个战略合作功能区，支持打造京东、京西南、京西北三个区域旅游合作示范带，引导在京旅游企业积极参与旅游合作示范带和旅游产业项目承接地建设，积极培育区域旅游新业态新产品。

第五，协同创新。破解三地旅游一体化发展中的重点难点问题，需要通过改革创新提供动力支持。北京市愿在现有的合作机制框架下，进一步推动体制创新，支持筹建跨区域的旅游市场开发和投资建设联盟；进一步推动技术创新，鼓励扶持在京旅游企业"走出去"，通过"旅游＋互联网"新技术，加强三地旅游营销；进一步推动政策创新，力争在旅游供给侧改革、投融资、旅行社经营、行业人才培养等方面能够有所突破。

以供给侧结构性改革推动旅游业升级增效

（2016 年 1 月 29 日）

湖北省人民政府副省长　甘荣坤

湖北省委、省政府高度重视旅游业发展，“十二五”期间，坚持依托重大发展战略谋划旅游，在经济社会发展大格局中推进旅游，努力提高旅游供给能力，实现了旅游发展新突破。

一、注重战略谋划和顶层设计

湖北省委、省政府先后出台《关于建设鄂西生态文化旅游圈的决定》、《关于加快旅游业改革与发展的实施意见》等文件，加强战略谋划，搞好顶层设计，推动旅游发展。“十二五”期间，湖北省旅游大发展格局基本形成，旅游供给要素加快成长壮大，旅游供给能力和质量不断提升，旅游目的地特征进一步显现。全省 4A 级以上高等级景区从 73 家增加到 125 家，其中 5A 级景区从 3 家增加到 11 家。全省旅游接待人数和收入保持两位数的年均增速。2015 年，旅游接待超过 5.3 亿人次，旅游总收入突破 4250 亿元，同比分别增长 12%、13.2%。旅游业已成为我省重要的支柱产业，为湖北省生产总值增长 8.9% 提供了有力支撑。

二、注重产业融合和资源整合

注重释放旅游消费对经济增长的内生动力，坚持把旅游业作为经济转型升级的先导产业来抓，推动三次产业跨界融合，各类资源有效开发，不断拓展旅游发展领域，延伸旅游产业链条，一批旅游新业态、新模式不断涌现。坚持以旅游强县、旅游名镇、旅游名村、旅游名街、星级农家乐“五级联创”为抓手，推动旅游驱动型城市、县市、村镇创建工作，形成了“各拿一支笔、同绘一幅画”的旅游业发展局面，一批以旅游为特色的县市、乡村，成为湖北省县域经济转型发展的典型。五年来，全省共创建湖北旅游强县 19 个，湖北旅游名镇 24 个，湖北旅游名村 97 个，湖北旅游名街 11 条，高星级农家乐 346 个。

三、注重城乡一体和主客共享

在抓好精品景区、旅游城市建设的同时，把旅游业作为吸纳就业的主体产业，把旅游扶贫纳入全省扶贫攻坚战略。充分发挥旅游就业门槛低、吸纳就业能力强的优势，推进旅游富民、旅游扶贫，让绿水青山成为贫困群众脱贫致富的金山银山。在四大集中连片扶贫开发区，坚持“大别山在红色旅游上求突破，武陵山在生态旅游上做文章，秦巴山在文化旅游上谋发展，幕阜山在休闲旅游上创新路”的发展思路，以丰富的生态文化资源为基础、以发达的旅游业为引擎，在资金上加大投入，在政策上给予支持，推动区域联动、整体开发，旅游业在促就业、减贫困、惠民生中做出了积极贡献。“十二五”期间，全省旅游新增直接就业42.6万人，带动间接就业165.5万人，使42万人脱贫。湖北省旅游扶贫的做法得到了汪洋副总理的充分肯定。

“十三五”时期是我国全面建成小康社会的决胜阶段，也是全面推进结构性改革的攻坚时期。中央经济工作会议指出，要更加注重供给侧结构性改革，扩大有效供给，提高全要素生产率，以新供给创造新需求，以新需求带动新增长。国务院副总理汪洋同志近日指出，“当前，我国居民消费步入快速转型升级的重要阶段，旅游业正迎来黄金发展期；同时，旅游业也处于矛盾凸显期，旅游产品供给跟不上消费升级的需求，政府管理和服务水平跟不上旅游业快速发展的形势。”“两期、两个跟不上”，是对当前我国旅游业发展形势的准确判断，也为我们加快转变旅游业发展方式指明了方向。下一步，我们将认真贯彻落实全国旅游工作会议精神，坚持问题导向，着力精准施策，有效推进旅游供给侧结构性改革，促进旅游业转型发展、升级增效，力争以更加优质、更加便捷的旅游产品不断满足人民群众日益增长的旅游需求，顺应人民群众对美好生活的期待。重点抓好以下六个方面的工作：

第一，优化旅游产业布局。湖北作为长江流域的精华段和旅游资源富集区，是承接长三角城市群旅游需求外溢、旅游产业转移、旅游投资的重要区域、黄金地段。我们将积极对接“一带一路”、长江经济带、长江中游城市群等国家战略，加快构建“一带两极三廊道”旅游产业发展格局。“一带”，即湖北长江旅游带；“两极”，即武汉、宜昌两大旅游发展极；“三廊道”，即鄂西山水民俗旅游廊道、汉江国脉探秘旅游廊道、鄂东红绿经典旅游廊道，努力将旅游打造成湖北富民强省的支柱产业、彰显文明的美丽事业、关联带动的引擎行业。

第二，优化旅游产品结构。围绕提高旅游的参与性、体验性和旅游新要素培育，加快度假旅游、休闲旅游、养老旅游、研学旅游、拓展旅游、游轮旅游、乡村旅游、自驾旅游等 8 大新型旅游产品创新与供给。按照“旅游核心景区、旅游服务基地、旅游风情小镇、旅游中心城市”四位一体模式，打造武汉商贸休闲、三峡国际度假、神农架生态体验、武当山山水养生等十大旅游聚集区，以“一江两山”6个5A级景区为龙头，建设长江旅游风景带，全面推动旅游产品转型升级。

第三，丰富旅游产业形态。加快资源整合与综合利用，促进旅游与相关产业的资源性融合、生产性融合和服务性融合，使传统产业通过旅游焕发出新的生机与活力。重点培育旅游农业、旅游工业、旅游文化业、旅游商贸业、旅游会展业、旅游信息业、旅游地产业、旅游金融业、旅游体育业、旅游策划业等十大旅游新业态，延伸、加粗旅游产业链条，创造更多有效的旅游供给形态和供给机会。

第四，转变旅游发展方式。实施旅游创新驱动战略，坚持政府主导、市场主体的原则，转变旅游发展方式和供给动能。让旅游业从过去重点依靠资源垄断、依靠“红顶”政策转向更多依靠创新、依靠技术上来。设立湖北旅游产业发展基金，加快市场主体培育，开展“旅游双创”活动，努力建设国际旅游自由购物区、长江大型旅游港、国家休闲区、国家养老基地、国家乡村公园、文化旅游创意园区、旅游装备制造基地、湖北“礼道”（旅游商品）产销基地、湖北“味道”（特色餐饮）体验园区、国家研学旅游基地等十大旅游创业园区，探索旅游业发展新模式、新途径、新动能。

第五，放大旅游综合效益。进一步扩大旅游经济效益，更加注重旅游生态效益和社会效益。研究制定旅游业推进绿色发展的指导意见，探索建立旅游生态交易和补偿机制，使旅游业真正成为经济社会的“绿色加工厂”，重点培养10个左右的县市、40个左右的乡镇率先建成以旅游为驱动型的绿色发展示范区。深入开展以“百村旅游规划公益扶贫行动”、百企“城乡牵手游”行动、千人乡村旅游人才培训行动、万名乡村旅游创客行动为主的旅游扶贫“旅翼行动”计划，按照“景区一托二”、“农庄一联五”、“酒店一招十”的方式，不断探索旅游扶贫的有效路径，力争从2016年起4年解决100万贫困人口的脱贫问题。

第六，强化旅游供给保障。坚持依法兴旅、依法治旅，以组建湖北省旅游发展委员会为重要契机，着力强化旅游主管部门的综合协调职能，实行兼职委员制度，将文化、交通、国土、住建等相关部门分管领导纳入委员会，提升旅游管理服务水平，打造旅游管理服务“升级版”。加强旅游公共服务设施建设，以旅游“厕所革命”为突破口，以旅游交通标识系统、游客中心、游客中转站、智慧旅游为重点，完善旅游公共服务设施。切实加强旅游市场秩序整治和文明旅游工作，不断提升旅游服务品质，真正让游客在湖北游得开心、游得放心、游得舒心。

以供给侧结构性改革推进旅游业大转型、大发展，是一个全新的课题，也是一个持续渐进的过程。我们将以认真贯彻落实本次会议精神为契机，虚心学习借鉴兄弟省份的先进经验，坚持深化改革，加快转型升级，进一步推动湖北旅游业做大做强，为全国旅游业大发展做出应有的贡献。

深化旅游体制改革
增强产业发展活力

（2016 年 1 月 29 日）

海南省人民政府副省长　何西庆

自《国务院关于推进海南国际旅游岛建设发展的若干意见》（国发〔2009〕44 号）下发以来，海南省以打造旅游业改革创新试验区和海岛休闲度假旅游目的地为目标，积极推进旅游管理体制改革，统筹协调各方力量，努力把旅游业培育成为国民经济战略性支柱产业。旅游业已经成为新常态下海南省重要的经济增长点。“十二五”期间，以旅游业为龙头的服务业增加值年均增长 10.6%，占 GDP 比重比 2010 年提高 7.1 个百分点，接待游客总人数、旅游总收入分别比“十一五”末增长 73.6%、110.9%。2015 年旅游人数增长 11.4%，旅游总收入增长 13%，仅免税品商品收入达到 55.4 亿元。旅游产业转型升级进一步加快，邮轮游艇游、低空飞行游、健康养生游、婚庆度假游、房车露营游等旅游新业态加快发展，南海西沙旅游实现常态化运营，新开辟和恢复国际航线19条，旅游业发展质量和水平明显提高。海南省委、省政府在旅游产业发展中，坚持发挥政府主导作用，大力推进体制机制改革，采取了一系列改革措施。主要做法如下：

一、促进旅游管理体制改革，增强统筹协调职能

（一）统筹国际旅游岛建设

全省坚持以国际旅游岛建设为总抓手，加强重大事项的决策领导。海南省委、省政府成立了海南国际旅游岛建设领导小组，负责组织推进海南国际旅游岛建设目标任务的完成和落实。省委书记、省长分别担任组长和第一副组长，省直20多个相关部门的主要负责人担任小组成员，领导小组办公室设在省旅游委，为海南省强力推进海南国际旅游岛建设提供了组织保障。

（二）统筹产业发展

根据产业发展需要，海南省建立海南省推动旅游产业发展工作联席会议制度，统筹协调全省旅游产业发展。由分管副省长任总召集人，省政府副秘书长和省旅游委主任任副总召集人，33个省直部门的负责人为成员。主要任务是：研究提出全省旅游产业

发展的重大政策和措施，审议全省旅游产业发展规划和重要专项规划；协调推动全省重大旅游项目建设，谋划重点产业项目的生成及储备，并推动落实；协调解决全省旅游业改革、开放和发展中的重大问题。

（三）统筹行业发展

根据旅游发展的新需求，海南省在 2009 年就率先将省旅游局调整为省旅游发展委员会，成为省政府组成部门，新增加 5 个处室，强化了统筹协调全省旅游业发展、规划全省旅游资源开发利用和保护、组织推进国际旅游岛建设、统筹全省旅游要素国际化改造、统一管理全省旅游行业标准化工作、负责旅游安全的监督管理等职能。目前全省已有 12 个市县设立了旅游发展委员会。

（四）统筹市场监管

为强化对旅游市场的综合整治，有效规范旅游市场秩序，优化旅游市场环境，2013 年，海南省成立了由分管副省长任组长，省旅游委牵头，17 个部门组成的全省旅游市场综合整治领导小组，设立了海南省旅游质量监督管理局，建立了“统一领导、属地管理、联合执法、信息共享、相互取证、分类处罚”的工作机制，在探索联合执法、综合执法、从严执法方面取得了阶段性成效。

二、探索旅游规划体制改革，强化规划引领作用

（一）实行“多规合一”试点改革，优化旅游资源配置

2015 年 6 月中央深改办确定在海南进行“多规合一”改革试点，这也是全国首个在全省域开展的“多规合一”改革，旨在打破行政区划的藩篱，做到全省一盘棋，统一高效配置土地、林地、岸线、海域、水域等重要资源。目前，海南省已编制完成了《海南省总体规划》，将旅游规划融入“多规合一”范围，完善旅游规划体系，已将《海南省旅游发展总体规划》、《海南省旅游业发展“十三五”规划》等融入全省总规，把旅游规划与国土、城建、林业、生态、用海等规划内容无缝衔接，为旅游业发展留足发展空间和通道。海南将以科学的规划实现区域内旅游资源优化配置，引领旅游产业开发和建设。

（二）建设六大旅游园区，实施区内审批制度改革

为推动“十三五”期间海南旅游持续健康发展，海南省确定了“一岛、两极、两区、六组团”的旅游发展空间布局，集中建设六大旅游园区、百个旅游风情小镇和千个美丽乡村。海南省政府将海口观澜湖、陵水清水湾、三亚海棠湾、三亚邮轮母港、儋

州海花岛、三沙海洋旅游区六大省级旅游园区及市县的20个重点旅游度假区纳入海南省总规，依托产业园区深化行政审批制度改革，简化行政审批程序，大幅度提升行政效率，促进全省旅游园区优化投资环境，推动旅游及相关产业集聚发展。

（三）整合优势资源，促进区域旅游协调发展

我们立足海南省情，统筹规划和整合琼北、琼南旅游资源，推进区域旅游交通基础设施、旅游公共服务和生态环保三个“一体化”，统一打造“海澄文”（即海口、澄迈和文昌）一体化综合经济圈和“大三亚”（即三亚、陵水、保亭和乐东）一体化旅游经济圈旅游品牌，在“大三亚”旅游经济圈全力推行全域旅游目的地建设，带动提升全省旅游发展的整体性和协调性。

三、健全旅游发展机制，促进旅游产业发展

（一）进一步加大政策扶持力度

海南省委、省政府高度重视、大力扶持旅游产业发展，把旅游业放在“十三五”乃至未来更长一个时期加快发展的十二个重点产业的首位。各级党委、政府对旅游业的支持力度不断加大，促进旅游投资和消费，为旅游产业发展创造了良好环境。近期，省政府强化政策引导，相继出台了《关于提升旅游产业发展质量

和水平的若干意见》、《海南省提高旅游国际化水平和促进入境旅游发展实施方案》、《海南省促进邮轮游艇产业加快发展的意见》等一系列政策文件；整合财税资源，设立了旅游、民航、邮轮、会展业等发展专项资金；完善旅游交通、旅游厕所、信息网络等基础设施建设，有效提升旅游服务质量和水平。

（二）促进旅游业与相关产业融合发展

省政府统筹推进旅游与相关产业相互融合融入，以旅游行业和产业为基础，通过延伸、拓展、融合，营造了“多产联动、融合发展”的大旅游格局。引导旅游业与热带特色农业、商务会展业、医疗健康产业、互联网产业、金融保险业、文化体育等产业相互融合，协同发展。如博鳌乐城国际医疗旅游先行区建设取得实质性突破，引入韩国、美国、德国、乌克兰、瑞士等多国知名医疗美容企业进驻先行区。

四、深化旅游监管体制改革，进一步规范市场秩序

（一）贯彻落实《旅游法》，建立健全旅游法规体系

海南省积极贯彻落实《旅游法》，推进旅游地方性法规的立改废工作。在 2014 年修订完成《海南省旅游条例》，制定出台

《海南省旅游安全管理规定》的基础上，2015年对《海南经济特区导游人员管理规定》、《海南经济特区旅行社管理规定》、《海南经济特区道路旅游客运管理若干规定》3部旅游单项法规进行修订，已于2015年10月1日起正式施行。2016年已将旅游景区和旅游价格管理规定两部地方性法规的修订列入省人大立法计划，并启动了相关工作。

（二）加强旅游综合执法，做实省旅游联合执法机构

近年来，海南省通过做实联合执法办公室，加强旅游、公安、工商、物价、交通等相关部门的联动，加快形成旅游市场秩序综合整治机制。调整组织机构，增加执法力量，抽调成员单位的8名相对固定人员参加；拓展工作职能，采取日常检查与专项检查结合、明察与暗访并举等方式，组织开展旅游市场执法检查；规范办案流程，对于跨部门、跨行业、跨地区和涉及"五黑"的旅游案件，由省联合执法办公室做出立案决定，同时组织调查取证，严查严打违法行为，保持高压态势，形成震慑力。仅2015年就组织开展了6次假日旅游市场综合执法检查、6次旅游市场专项治理行动和24次旅游安全检查。全年共分3批向社会公布了查处的违法违规企业和个人。

（三）创新监管体制，设立旅游警察支队、工商旅游市场监管局、旅游巡回法庭

三亚市在全国率先设立了旅游警察支队，有效地打击和遏制

了当地旅游市场的违法犯罪活动。海口、三亚市工商行政管理局内设旅游市场监管局，对旅游市场实施专项监督管理。海南省各级法院分别在立案庭设立旅游诉讼服务中心，在重要旅游区设立旅游巡回法庭，积极发挥旅游巡回法庭快速便捷调处旅游纠纷的作用，努力保障游客合法权益。

（四）畅通投诉渠道，完善投诉监督机制

制订《海南旅游咨询与投诉一体化管理制度》，统一集中受理旅游投诉。明确各个部门的职责，协调相关职能部门开展工作，按照职责进行分办、承办、转办和督办。建立了省级和三亚市旅游市场违法违规行为举报奖励制度。首批选聘了 312 名社会监督员，并充分发挥好他们的积极作用。严厉打击旅游失信行为，在“阳光海南网”建立了旅游企业和从业人员信息公示平台，将旅游企业的基本信息、行政处罚等信息向社会公布，接受公众的监督，产生了较好作用。

下一步，我们将认真贯彻落实这次全国旅游工作会议精神，学习借鉴兄弟省市区的好经验、好做法，大力促进旅游供给侧改革，加快海南旅游业转型升级、提质增效，为实现国际旅游岛建设目标而发奋努力。

加强旅游市场综合监管
全面提升旅游服务质量

（2016年1月29日）

云南省人民政府党组成员、资政　刘　平

2015年1月，习近平总书记在云南考察指导工作时指出，“云南旅游资源丰富，要大力发挥比较优势，大力发展旅游业”。习近平总书记重要指示，为云南旅游业发展指明了方向、提供了遵循。在国家旅游局的大力关心支持下，近年来，云南省依托得天独厚的区位优势和旅游资源优势，全力推进旅游强省建设，全省旅游经济总量不断扩大，产业体系逐步完善，综合带动效应日益增强，旅游业成为云南最有特色、最有优势的支柱产业。2015年，全省接待国内外旅游者3.257亿人次，同比增长13.88%，其中接待海外旅游者570万人次，同比增长7%，接待国内旅游者3.2亿人次，同比增长14%；实现旅游总收入3320亿元，同比增长24.54%，为全省经济稳增长、调结构、促就业、惠民生做出了积极贡献。

随着旅游产业规模的持续扩大，接待人数的迅速增加，旅游市场竞争日益加剧，云南省旅游市场也出现一些不合理、不规范甚至违法违规的现象。2015 年国庆节期间，针对云南省部分地区出现扰乱旅游市场秩序、侵害旅游者合法权益的突出问题，国内有关媒体进行了报道，国家旅游局等 5 部委联合进行督查并及时通报了有关情况。对此，云南省委、省政府高度重视，主要领导多次做出批示指示，并率队赴国家旅游局汇报工作。省委常委会议、省政府常务会议及时专题研究云南省旅游市场秩序整治工作，决定由省政府分管领导约谈丽江市、昆明市、迪庆州政府主要领导同志，并对相关责任人进行问责。对通报涉及的有关问题限期整改。同时，决定采取以下重点政策措施：

一、全面推进旅游综合执法体制改革

按照国家旅游局的要求，充分借鉴三亚旅游市场监管体制改革经验，按照“先行试点、分步推开”原则，在旅游市场发育度较高、执法基础较好的地区开展旅游综合执法改革试点。决定在全省全面建立统一调度、综合指挥、快速反应、配合有序、高效处置的旅游市场监管综合指挥调度平台，由州（市）长任总指挥，常务副州（市）长或分管领导任副总指挥，相关职能部门主要负责人为成员，统筹负责旅游投诉举报的受理、处置和督查等事宜；在昆明、大理、丽江、迪庆、西双版纳 5 个州、市公安局内设旅游警察支队，在腾冲、瑞丽2个县级市公安局内设旅游警察大队，专职负责查处涉及旅游参与者人身财产安全、破坏旅游市场治安秩序的违法犯罪案件，配合有关部门开展旅游市场监管综合执法、维护旅游景区治安秩序等工作。目前，组建方案已经省委、省政府主要领导同意，正抓紧组织实施。

二、全面推行无障碍旅游

在总结西双版纳无障碍旅游试点经验的基础上，全面推行无障碍旅游。从2016年1月1日起，凡有资质、符合条件的旅游企业、导游、旅游车和驾驶员均可在全省范围内从事旅游经营或提供相关服务。全省区域间旅游经营和服务障碍在源头上得以消除，有序竞争、良性发展的旅游市场环境正在形成。

三、继续推进标准化建设

为适应游客多样化需求，在进一步完善涵盖食、住、行、游、购、娱等每一环节标准化体系的基础上，修订《旅游标准合同》，将各项服务内容、双方责任权利、监督投诉电话等写进合同，特别增加了云南旅游“十五不准”等要求，以及提醒游客索要发票等提示性内容，从2016年1月1日起在全省范围全面推广施行，进一步明确服务标准，强化源头治理，提升服务质量。

四、全面深化导游管理体制改革

在总结经验并充分征求旅行社和导游意见的基础上，研究出台了《云南省导游归属管理及导游公司管理体制改革方案》，全面实行导游劳动合同管理，建立科学合理的薪酬机制，保障导游基本收入，改善导游执业环境。从2016年1月1日起，全省旅行社只能使用与本旅行社签订劳动合同的导游或者与取得劳务派遣资质的导游公司签订劳动合同的导游，未签订劳动合同的导游一律不得上岗。截至目前，全省已有近6000名导游与旅行社签订劳动合同，约占长期带团导游的75%。

五、全面实行旅游企业和从业人员计分管理办法

从2016年1月1日起，全面实行《云南省旅行社及导游人员计分管理暂行办法》和《云南省旅游购物企业计分管理暂行办

法》，对旅行社、旅游购物企业、导游人员的违法违规和不诚信行为，在严肃查处的基础上，视情节予以扣分，在计分周期内累计扣分达到规定分值的，由旅游主管部门相应给予责令退出市场、降低或取消评级、通报批评、限期整改等处分。

六、探索旅游购物企业税收均衡制度

针对旅游购物企业税负不平衡、发展动力不足等问题，我省正抓紧研究旅游购物企业特别是珠宝玉石经营企业税收均衡制度，健全完善税收征管政策，堵塞旅游购物企业经营漏洞，挤压购物企业虚假利润水分，促进企业做大做强，规范旅游购物市场秩序。

七、推动组建旅行社集团

为解决旅行社企业小、散、弱、乱的问题，采取政府引导、企业自愿、融合发展的方式，抓紧推进旅游企业跨界融合发展，鼓励旅行社与旅游购物等要素企业融合，走集团化发展路子，争取培育 10 家左右年接待人数在 30 万人次以上，旅游收入在 10 亿元人民币以上的有实力、有市场、有潜力、管理规范、诚实守信的大型旅行社集团，进一步发挥旅游龙头企业对产业发展的带动作用，对规范旅游市场秩序、提升旅游服务质量的引领作用。

八、引导旅游行业依法诚信经营

2015 年 5 月，云南省在充分调研论证并广泛征求相关企业意见建议的基础上，由省旅行社协会制定发布了云南省主要旅游线路产品成本价；2016 年 1 月 11 日，又修订发布了 2016 年及春节主要旅游线路产品成本价。指导旅行社协会等行业组织发出拒绝组织和接待“低价团”“填坑团”的倡议，公开向“不合理低价”宣战，引导企业诚信经营，引导游客理性消费。同时，积极探索推行旅游行业诚信星级制度，争取尽快公示旅游企业和旅游从业人员信誉情况，加强旅游诚信体系建设。

九、认真受理和查办游客投诉

按照建立统一投诉受理机制的要求，开通了“96927”旅游服务热线，24 小时受理游客投诉，建立了统一受理、纵向联动、横向协同、一站式服务的工作机制。在全省 9 个州市、41 个主要景区、63 个主要购物场所设立了“云南省旅游市场秩序整治投诉举报点”，现场受理和处置游客投诉举报，切实维护旅游者合法权益。充分整合调动各地、各职能部门力量，强化社会监督、媒体监督和群众监督，向投诉要案源、向举报要线索、向舆情要动态，多形式、不间断地开展旅游市场检查，形成常态化的工作机制，严查违法违规行为。

十、严格落实责任

进一步强化各级政府旅游市场秩序整治的领导责任、部门的监管责任、企业的主体责任，以及行业协会的自律和社会监督作用，建立完善监督考核机制，对工作推进不力、监管不到位的单位和责任人，启动政府问责机制，实行问责常态化。

通过持续努力，云南旅游市场秩序明显好转，旅游服务质量有效提升。2016 年元旦期间，全省旅游投诉大幅减少，有效投诉 6 起，没有发生恶性旅游事件。我们将认真贯彻这次会议特别是金早局长重要讲话精神，学习借鉴兄弟省区的先进经验，加强供给侧结构性改革，全力整治旅游市场秩序，全面提升旅游服务质量，真正把云南旅游产业建设成为全省国民经济的战略性支柱产业和人民群众更加满意的现代服务业，加快实现由旅游大省向旅游强省的新跨越。

走质量效益型的集约化发展道路

（2016 年 1 月 29 日）

西藏自治区人民政府副主席　甲热·洛桑丹增

近年来，特别是党的十八大以来，在国家旅游局的精心指导下，在兄弟省市和有关方面的大力帮助下，自治区党委、政府坚持把旅游业作为发展软实力的重要领域和改善民生的重点产业来抓，坚持以“特色、高端、精品”导向，着力打响“人间圣地·天上西藏”品牌，努力建设重要的世界旅游目的地，全力打造西藏旅游升级版。2015 年，全区旅游业发展势头迅猛，累计接待国内外游客 2017.5 万人次，实现旅游总收入 281.9 亿元，分别同比增长 29.9% 和 38.2%。旅游业已经成为全区最具活力、最具潜力、最具魅力的支柱产业之一。西藏自治区在旅游产业质量效益型集约化发展方面进行了一些有益尝试和探索，归纳几点供大家参考：

一、注重品牌打造，提升产业形象，为发展建立优质平台

“十二五”期间，西藏自治区大力实施品牌带动战略，加大“请进来，走出去”力度，旅游品牌知名度和影响力大幅提升。

（一）全力打造“藏博会”品牌

2014 年，在国家旅游局的鼎力支持下，西藏自治区成功举办了首届西藏旅游文化国际博览会，旨在打造具有国际影响力、全国辐射力、区域带动力的高端交流合作平台。2015 年第二届“藏博会”又进行了扩容、提质，以旅游文化为主线，通过资源展示、形象宣传、互动体验、商品展销、旅游推介、信息咨询、主旨论坛等丰富多彩的活动，宣传展示西藏丰富的旅游文化资源和丰硕的发展成果，促进了西藏旅游文化产业的深度融合，推动了旅游产业交流合作，带动了旅游文化产业项目发展，展示了“人间圣地·天上西藏”优质品牌。两届“藏博会”共签约项目 165 个，合同金额 1143 亿元。

（二）大力打造国际品牌

按照“积极拓展国际旅游，大力发展国内旅游，稳步发展边

境旅游，适度发展出境旅游”的发展思路，加大了国际国内广告投放力度，实现了旅游形象宣传片在全球144个国家和地区落地播出，在京、港、澳三地机场、商业街、地铁站登陆。成功举办了“六十巨变·大美西藏”国内百家媒体实地采访报道和“十个一百”请进来感悟体验活动。旅游营销宣传覆盖力度不断加大，在国际旅游市场中的影响力不断提升。

（三）合力打造地方特色品牌

结合西藏地域特色、民族特色、自然特色组织了“拉萨传统赛风筝旅游文化节”、“藏族佳丽大赛”、“圣地婚约”、“幸福西藏号专列”、“世界屋脊新年音乐会”、“人类登顶珠峰60周年纪念之旅”、“珠穆朗玛号旅游专列”、“西藏100个最美观景·拍摄点评选”、“西藏旅游商品大赛”、“旅行商精品体验”等主题活动，打造了一批备受国内外关注的特色旅游品牌，得到了市场和社会各界的积极回应。

二、注重资源整合，转变增长方式，为发展提供持续动力

在经济新常态的大背景下，把握好政府与市场、发展与质量的关系，以旅游资源的科学永续利用为目标，调整存量、做优增

量，出实招、用真功，为旅游业发展注入新动力。

（一）编制战略规划

在国家旅游局的支持帮助下，高标准编制了《西藏建设世界重要旅游目的地中长期规划》、《拉萨国际旅游城市建设规划》、《林芝生态旅游大区建设规划》等区域性发展规划，启动了《墨脱县定制旅游发展规划》等21个边境县旅游规划和控制性详规编制工作。同时，围绕全区旅游业发展的重点、难点和热点问题，对离藏免税购物政策等亟待国家及自治区层面协调解决的问题进行了全面系统的分析研究，为推动建设重要世界旅游目的地奠定了坚实基础。

（二）推进项目建设

“十二五”期间，西藏自治区旅游基础设施建设取得了历史性突破。青藏铁路拉日段通车运营，拉林铁路工程开工建设，拉林高等级公路竣工通车，公路通车总里程突破7.8万公里。按照“两心、四廊道、五区、六环线”的旅游规划布局，重点加快旅游环线公路、通讯、标识、观景台、停车场、信息平台等旅游基础设施。“十二五”末，完成旅游规划内项目建设31个、投资5.14亿元，旅游公共服务能力得到极大提升。积极引导民间资本参与旅游业投资，遴选出重点支持项目5个，总投资54.18亿元。阿里神山圣湖旅游综合开发、昌都然乌康巴风情国际旅游小镇等10个项目还入选了全国优选旅游项目名录。

（三）突出旅游富民

在重点旅游县（区）、国省干道沿线、旅游景区周边等旅游资源富集区域，大力发展以农家乐、藏家乐、家访点为代表的乡村旅游产品和项目，鼓励和支持农牧区群众依托旅游业发展，吃上旅游饭，拓宽增收致富门路。截至2015年年底，全区从事旅游接待服务的农牧民达到2.9万余户，9.41万余人，实现旅游接待服务收入12.05亿元，人均收入1.28万元。同时，按照国家旅游局要求，完成了全区151个重点旅游扶贫村的详细摸底调查工作，助力全区精准扶贫、精准脱贫。

（四）力推冬游西藏

始终坚持冬季促销战略，突出接待服务和宣传营销两个重点，加强冬季接待能力建设，广泛动员和引导旅游企业参与冬季营销；以“冬游西藏·享受阳光”为主题，开展了冬季旅游专题宣传促销，推出了“冬游西藏”主打产品，推动了西藏自治区四季旅游均衡发展。

三、注重市场治理，建立长效机制，为发展创造良好环境

坚持创新工作机制和加强旅游市场综合治理，强化制度建设

和区域合作，坚持依法整治旅游市场，提高游客体验和世界旅游目的地美誉度。

（一）加强源头治理

进一步依法规范了导游员管理，指导督促全区旅行社完成了旅行社聘用专职导游员工作，制定并实施专兼职导游员管理办法，建立了公平透明的导游薪酬制度。全面落实简政放权，将三星级以下酒店和3A级以下旅游景区评定权限下放到各地（市），进一步简化了流程，激发了市场活力。

（二）强化综合整治

2013年以来，启动了连续3年、为期16个月的旅游市场专项整治执法大检查，创下了活动时间跨度最大、实施周期最长、整治领域最广、打击力度最强的专项整治工作纪录。其间，检查旅游企业1623家次、旅游团队1998团次、导游人员2016人次，受理旅游投诉648件、结案率达100%，旅游市场环境得到有效净化。此外，西藏自治区把2015年定为西藏旅游安全年，严格落实旅游安全措施，巩固了全区旅游安全形势持续向好态势。

（三）深化执法合作

重点强化旅游执法合作，建立了跨省区、跨地市、跨部门的联合执法工作机制。加强同四川、青海等邻省区的旅游执法合作，组织实施跨省异地执法，在探索建立区域执法合作机制方面取得了一定突破。区内建立了执法联动机制，各地市、各部门间协调联动，形成执法合力，全区整体执法能力和水平明显提高。

“十三五”时期，是西藏打赢脱贫攻坚战、如期实现全面小康的决定阶段，加紧生态功能区建设、增强自我发展能力的重要阶段，保持持续稳定和全面稳定、走向长治久安的关键阶段。西藏自治区党委、政府将紧紧围绕国家“一带一路”开放战略，坚持“特色、高端、精品”导向，把旅游业作为经济发展的主导产业重点培育，不断提升“人间圣地·天上西藏”的整体形象，努力把西藏打造成为重要的世界旅游目的地。

落实“一带一路”战略
推进旅游业转型升级

（2016 年 1 月 29 日）

宁夏回族自治区人民政府副主席　王和山

宁夏人文历史悠久，文化底蕴深厚，自然风光独特，有“塞上江南”、“十大新天府”、“中国旅游微缩盆景”等称誉。黄河母亲河流经 397 公里，孕育了富饶美丽的宁夏平原；在高原绿岛六盘山上毛主席写下了《清平乐 · 六盘山》的壮丽诗篇；贺兰山横贯北部，因岳飞《满江红》而蜚声四海。特色鲜明的回族文化、深厚绵长的黄河文化、神秘多彩的西夏文化、走向胜利的红色文化交相辉映，水洞沟遗址、贺兰山岩画、西夏王陵、沙湖沙坡头景区享誉海外。宁夏四季分明，生态优美，空气清新，从春暖花开到秋果累累，“塞上江南 · 神奇宁夏”深入人心；从白雪皑皑到冰雪消融，“冬游宁夏 · 享受阳光”绽放精彩。

近年来，宁夏回族自治区把旅游业作为国民经济的支柱产业、转型升级的重要抓手、扩大消费的重要引擎、提升形象的关键措施，创新理念，加大投入，完善机制，旅游业连续11年保持两位数以上快速增长。我们的主要做法是：

一是坚持高端推动，旅游业成为党委、政府工作的聚焦点。自治区党委、政府高度重视旅游业发展，出台了《关于做强做大文化旅游产业的决定》，明确将旅游业作为国民经济战略性支柱产业的发展目标。自治区主要领导每年都数次研究解决旅游重大问题，并纳入政府目标责任考核体系，各市、县（区）将旅游业发展作为“一把手”工程，各级财政持续加大投入力度，形成了全区上下联动、部门齐抓共管、区域协调并进的旅游工作新格局，有力地推动了全区旅游业快速发展。特别是在国家旅游局的亲切关心下，宁夏旅游发展委员会成功获批、组建在即，宁夏旅游业步入了改革发展的历史新阶段。

二是坚持旅游先行，旅游业成为中阿务实合作的排头兵。我们立足民族区域特色，2010年以来成功举办了三届中阿经贸论坛、两届中阿博览会，在加强中阿经贸文化交流的同时，将中阿旅游合作作为重中之重，其间，举办了两届中阿旅行商大会，签署合作协议71项，全方位展示了宁夏独特的旅游资源和民俗风情，构筑了中阿旅游合作的新平台。开展了智慧旅游—网上丝绸之路建设，畅通了中阿旅游网上合作渠道；开通了银川—迪拜、吉隆坡等多条国际航班，搭建了中阿旅游合作空中通道；建立了针对阿拉伯游客的接待服务标准体系，“回族家访”系列特色旅游体验项目广受欢迎；我们将认真落实与阿方签署的客源互送协议，筹办好“驾越丝绸之路—中阿友好万里行”大型自驾活动，争取开通更多的国际航班，推动境外旅客购物离境退税和国际中转旅客 72 小时过境免签政策落地，全力打造中阿旅游中转港，宁夏逐步成为中阿旅游合作发展的新高地。

三是坚持旅游为民，旅游业成为全区扶贫攻坚的生力军。我们将实施旅游富民工程作为推动扶贫攻坚的重要抓手，设立了全国第一个旅游扶贫试验区——六盘山旅游扶贫开发试验区，采取多种措施引导景区贫困人口融入旅游产业链，搭上旅游发展的"快车"，试验区内旅游业直接从业人员近 1.5 万人、间接从业人员近 5 万人。坚持乡村旅游个性化、特色化发展，重点扶持 8 个贫困县的 72 个行政村发展乡村旅游，培育了一批乡村旅游模范村、模范户、金牌农家乐、致富带头人，2015 年宁夏乡村旅游接待游客 370 万人次。我区将继续实施旅游扶贫计划，力争到 2020 年，建成 100 个以上乡村旅游特色村、500 家三星级以上农家乐，乡村旅游年接待超过 650 万人次，通过乡村旅游脱贫致富的农民达到 62 万人。

四是坚持突出特色，旅游业成为全区经济发展的新增长点。我们将旅游发展作为促进经济转型的重要突破口，着力扩大旅游投资和消费。2015 年，围绕旅游综合体、景区基础设施、旅游交通设施配套、旅游新业态等领域，全区开工建设旅游项目 128 个，完成投资 93.8 亿元，同比增长 23.3%。各旅游企业重点打造休闲度假游、葡萄酒庄体验游、家庭自驾游、乡村游等旅游新业态；利用开斋节、古尔邦节等特色节庆，开展旅游惠民活动。组建了宁夏旅游集团公司，打造宁夏旅游发展资源联动、产业引领、融资投资新平台。旅游对经济发展形成“投资 + 消费”的双轮驱动效应，旅游业成为我区新的经济增长点。

五是坚持优化环境，旅游业成为弘扬社会正能量的新窗口。我们坚持一手抓旅游硬件建设，一手抓旅游环境营造，“一切资源都是旅游资源、人人都是旅游环境”的发展新理念深入人心、成为共识。我们强化事前引导，严格事中监管，加强在线服务，形成了执法监管、企业反馈、游客监督的市场秩序监管联动机制，有效规范了旅游企业的经营和服务活动，切实保障了旅游者的合法权益，文明旅游蔚然成风。导游李玲玉入选 2015 中国旅游十大新闻人物，旅游市场秩序正面评价排名全国第一。“十三五”宁夏将全面实施“十百千万”工程，在全区创建十条旅游特色街区、做强十大精品景区、发展十大旅游购物商店、打造十强旅行社、做优十家星级饭店、扶持十大特色农家乐、推广十大金牌旅游小吃、评树百名旅游服务之星、培育千名乡村旅游带头人、培训万名旅游从业人员，推进文明旅游常态化、旅游服务标准化、旅游市场规范化，切实提升旅游服务质量，进一步优化旅游发展环境。

六是坚持提质增效，率先创建全域旅游示范区。自治区“十三五”规划提出了率先创建全域旅游示范区的目标，我们将按照“全域布局、全景覆盖、全局联动、全业融合、全民参与”的思路，完善旅游公共服务体系，优化旅游产业结构布局，丰富旅游产品，创新旅游业态，延伸旅游产业链，全面推进城乡资源和产业的旅游化发展，推动旅游业与其他产业共生共荣，做到产业围绕旅游转、产品围绕旅游造、结构围绕旅游调、功能围绕旅游配、民生围绕旅游兴，持续扩大旅游投资和消费，不断提高旅游业对经济发展的贡献率，推进自治区旅游业转型升级、提质增效。力争到2020年把宁夏打造成为全国首批全域旅游示范省区。

七是坚持深化合作，全力办好中美旅游高层论坛。实践表明，依托举办大型活动，才能更好地唱响宁夏旅游品牌。在国家旅游局的大力支持下，中美旅游高层论坛成功落户宁夏，我们将举全区之力办好论坛，不辜负国家旅游局对宁夏的信任和重托。自治区已成立了专门的工作机构，按照确定方案，完善工作推进机制，全力做好筹办工作，力争把这次论坛办出特色、办出亮点、办出成效，以此为契机深度开发美洲等远程客源市场，不断拓展宁夏旅游发展空间。

站在“十三五”新的发展起点，我们将认真学习借鉴兄弟省（区、市）的好做法、好经验，贯彻落实好此次会议精神，全力推动宁夏旅游业发展再上新台阶，努力为建设世界旅游强国贡献力量！

第四篇
分组讨论发言

第一组发言材料

（2016 年 1 月 30 日）

贵州省旅游发展委员会主任　李三旗

受第一组同志们的委托，现作汇报发言。**谈一下对这次会议的认识和感受。**

这次会议是在重要的时点召开的具有一历史意义的重要会议。**一是**回顾“十二五”，特别是 2015 年的工作，晒出了硕果累累、沉甸甸的成绩单，中央点赞，社会点赞，行业点赞，人民点赞。以敢担当、会担当、能担当的实际行动，开辟了新常态下中国旅游业发展的新天地。55 个方面工作的首次突破，是在格局上翻天覆地的大突围、大创新、大改革，彰显了产业自信、行业自信、事业自信。创新的思维，主动的作为，有担当的行为为实施 515 战略开好了局，起好了步，为“十三五”奠定了坚实的基础，走出了未来旅游发展的新路、新天地、新格局。所以，这次会议是鼓劲的会、提神的会、自豪的会、自信的会，是信心坚定，战斗激情饱满的会。大家说，在春节前参加这样的会，今年的春节都将是一个充满喜庆的春节。可以说成绩前所未有、信心前所未有、自豪自信前所未有。**二是**面对“十三五”思路清晰，改革力度、创新维度、务实强度前所未有。新阶段、新思想、新模式、新理念、新状态，适应新常态、驾驭新常态、引领新常态，使大家为未来的蓝图所激动、所鼓舞、所吸引。智慧的思想与科学务实的举措交相辉映，使大家受教育，受启发，既有科学的目标，又有落实的办法，还有完成任务的标准要求，让大家点燃了激情，又有理性严谨的安排部署。我观察了一下，在26个行动计划中，居然有一个行动计划是老干部行动计划，调动一切积极因素、一切力量推动旅游业的发展，可以说，这样一种状态也是前所未有的。大家感受到心里非常踏实，知道今后为什么干，干什么，怎么干。所以这次会是一次思想大统一，力量大凝聚，上下一条心，全国一盘棋，是创新、实干、奋进的会。

一、讨论的情况

按照会议的安排，第一组的30名同志围绕工作报告，结合各地的情况开展了深入讨论，形成了以下共识。

（一）这次会议内容丰富，安排紧凑

会议工作报告内容全面，要求明确，安排部署具体，既有思路、理念和要求，又有方法论、路线图、时间表。魏礼群主任的学术报告从国家战略、行业规律高度，深刻阐述了国家实施四个全面战略布局和五大发展理念对旅游的重要意义，阐述了旅游产业发展什么，干什么等重大产业理论问题和学术问题。大家得到了很好的启迪，是一次很好的培训。建旅委的省市领导的经验交流精彩纷呈，有很强的指导性，示范性。把会放在海南召开，海南是全域旅游的示范区，会在这里开也有现场会的意味。整个会议的安排是精心的、精细的、精准的。大家收获很大，效果很好。

（二）会议工作报告理论性、创新性、操作性很强，很接地气

大家表示，要在几个重点问题上，深入学习，深刻理解，抓好落实。**一是**深化对全域旅游的再学习、再认识。会议工作报告在安排 2016 年工作时开宗明义地提出，必须转变旅游发展思路，改革旅游发展模式，创新旅游发展战略，加快旅游发展阶段的推进。推动我国旅游从景点旅游向全域旅游的转变，提出了九个转变的要求和标准，提出了最终从小旅游格局向大旅游格局的转变。全域旅游思想的提出得到各地党委、政府和旅游部门的积极响应，很多地方已经写进了当地的“十三五”旅游规划。今天上午又看到《全域旅游大有可为》的专题文章，深入阐述了

全域旅游的概念，推进全域旅游的五个特征，要达到的四项基本标准。厘清了对全域旅游认识上的五个误区，要求从六个方面推进全域旅游。实际上是对全域旅游系统的、整体的和理论性的思想阐述。大家感觉到，这是中国旅游业发展的一次思想革命，必须再学习，再认识。**二是**深化全域旅游这一思想提出时点意义的认识。我国已经是世界旅游大国了，正在由世界旅游大国向建设世界旅游强国的阶段转变。文章说，几代人的奋斗使旅游业从无到有，从小到大，通过点上的突破才为我们新阶段打下坚实的基础。这个话有以下含义，**第一是**景点旅游是初级阶段创业期的基本模式，**第二是**现在进入了新阶段，有中央五大发展理念的要求，提出全域旅游模式是适时的，必要的。深化对全域旅游模式内涵的理解，撇清认识的误区。**三是**深化对全域旅游模式在现实工作中实际意义的理解。如何使旅游产业转型升级，如何在全面建成小康社会中找到旅游产业的角色和定位，如何落实五大发展理念和做好旅游扶贫，推进供给侧改革，推动全域旅游是抓手，是载体，是平台。全行业上下要全国一盘棋，上下一条心地推动。**四是**要深化对旅游精准扶贫和发展乡村旅游的再学习、再认识。大家回顾了 818 大会以来的工作，在对接当地扶贫部门建档立卡，在对接交通等部门提出旅游扶贫“十三五”基础建设的项目，在组织规划单位做乡村旅游和旅游扶贫规划，探索旅游扶贫规划的标准和准则，提出省级层面旅游扶贫的目标举措，各省市都做了大量的工作，取得了实际的效果。工作报告中，提出要继续召开 818 大会，推广精准扶贫的经验和模式。大家通过讨论认为，一要深化对旅游行业发挥旅游的扶贫功能，参与精准扶贫、脱贫是旅游行业义不容辞的责任，要敢于担当。二要做好旅游产业自身的工作，发挥综合行业的作用，在脱贫奔富裕的道路上发挥旅游部门的作用。三要在攻坚拔寨、脱贫攻坚的阶段找准角度，精准发力。既不能超能力，大包大揽，又要积极作为，实实在在地通过旅游渠道为贫困群众办好事，办实事。要在旅游扶贫中保护好乡愁，保护好非物质文化遗产的传承。五是要深化对旅游+的再学习、再认识。旅游+概念与全域旅游模式的推进是要联系在一起学习和认识的。全域旅游是一个思想，旅游+是一个理念，充分表述了旅游产业的综合性，融合性，不能简单地理解为互联网+的转换。旅游+只是借助了旅游互联网+的表达方式，是后工业时代旅游综合性的思维，产业性思维，带动性思维，是先导产业的思维和融合性产业思维的一种深刻的形象性的表达。

（三）2015年工作成绩不菲，令全行业振奋

会议工作报告中讲了52个重点工作，取得了55个方面的突破，得到了总书记、总理的关注和肯定，大家非常振奋。特别是厕所革命这样的难事、大事一举突破，得到总书记的支持，实在不简单。还有旅游外交、旅游扶贫、旅游投资等得到总理的肯定，旅游规划纳入国家专项规划，组建国家旅游数据中心，等等。55项工作的大突破，这份成绩单，沉甸甸的，令人振奋，令人自豪，正如汪洋副总理说的，小机构干了大事业。当然我们相

信，有为有位，我们全行业扎扎实实地做好自己的本职工作，今后，我们期盼小机构变大机构，为党和国家干更大的事业。

（四）要认真落实好 2016 年 15 个方面，54 项工作任务

大家感到，2016 年的工作安排可操作性强，接地气，完全可以按图施工，对照检查。现在目标、任务、具体工作已经明确，回去以后要向党委政府做好汇报，按照要求逐项落实。

大家表示，一要提升理念抓落实，二要补齐短板抓落实，三要对照要求抓落实，四要形成成果抓落实，五要振奋精神抓落实。大家表示，国家局在认真贯彻中央精神，创新工作理论、理念、模式，敢担当，会担当，想办事，会办事，办得成事，体现了三严三实的要求，为全行业做了表率。各级旅游部门要有向国家局看齐的意识，以全新的精神面貌，全新的工作理念和模式，全新的钉钉子、扣扣子的工作作风，完成新阶段的新任务。要以敢于亮剑、敢于冲锋的精神，倒也要倒在冲锋的路上而不是逃跑的路上。绝不唉声叹气，畏首畏尾，在无聊中过可怜的日子。

二、讨论中提出的意见建议

1. 要完成历史性的新阶段的任务，持续发力，解决小马拉大车的问题。目前，10 个省建旅委是改变小马拉大车的一个大突破，还要继续持之以恒的突破。要在部门协调，特别是对接城建、交

通等部门上，在法律法规的修订上做好配套。

2. 旅游是综合性的产业，在转型升级中，强化融合发展，提高服务别人、发展自己的能力和水平，做好串联珍珠的线，而不是做这条线上所有的珍珠。

3. 全域旅游是一个重大的战略举措。工作报告和《全域旅游大有可为》文章实际上已经做了顶层设计。希望在推进这个顶层设计中注重软环境建设的过程，像做优秀旅游城市那样，分层次、分类别、分条件做好示范，集中力量予以支持。

4. 建议把入境旅游作为重要的激励考核指标，提升旅游产业对国内经济发展的贡献度。

5. 建议继续推动国家公职人员休假制度的落实。大力推动养老产业。

6. 部分市州政府和旅游部门的同志反映，参加这样的会议收获很大，建议今后国家旅游局的相关会议能给市州的同志更多的参会机会。

各市州、各省市，还有一些企业就自己的发展目标提出了具体的意见和建议，小组讨论都有记载，就不在这里一一汇报了。

贵州是全国贫困短板中最短的短板，是全国脱贫攻坚的主战场，贵州坚决不拉全国全面建成小康社会的后腿，贵州要打的是一场输不起的战役。旅游又是贵州短板中的长板，肩负了守底线、走新路的重任，请求国家旅游局和各省市的同行多关心、多支持，帮助贵州背水一战，通过旅游走出一片新天地。

第二组发言材料

（2016年1月30日）

江西省旅游发展委员会主任　丁晓群

受第二组同志们的委托，现作汇报发言。

第二组讨论既热烈、又理性，既有学习中央领导批示、讲话后的深受鼓舞、倍感振奋，“提气鼓劲、不悔付出”，又有对工作报告和全域旅游专题文章和近年来国家局工作的评头品足，可谓是好评如潮，还有对下步工作的充满激情、充满自信、充满期许。

国家局一年来的工作实践是一场全面驶向事业蓝海的远行。“515”战略从南昌起航，在海口靠岸，经历了风雨，眺望了彩虹。高层批示肯定，点头称赞，社会行注目礼，呐喊声，业界更是引以为荣，引以为傲，引以为使命，在航程中的各自岗位上尽了职责、出了新力，简单可评为“有大作为、有大改观、有大拓展、有大提升”。比如：在经济下行背景下，旅游业砥砺前行、逆势而上，与困难共舞蹈，到中流去畅游，成绩谁不称道？贡献谁能否定？在消费、投资、国际服务贸易各个领域均有旅游坚毅的身影和活跃的创造。

正因为旅游业是个综合性产业，对公共服务体系政府重视程度、经济社会发展状况等有明显的依赖性。同时其绩效又散布于各种行业之中，真的是“提起来硕果累累，撒开去遁而无形”，因此，政府主导型发展战略时下显得尤为重要。通常人们讲：但凡要做好一件大事，贵在“一把手抓”。在旅游行业难管、产业难做、事业难显的种种困难下，我们只有迎难而上，才有可能创出一片新天地！只有主动发声，才能借力发力。没有形式上的发狠，哪来实质上的发威？！当然，唯有旅游业的不断发达，方能最终推动中国社会的持续发展。

旅游业的改革任务艰辛，但势在必行，供给侧结构性改革与旅游产业结构调整同向同为，相得益彰。特别是互联网、信息化的突飞猛进，业态必然受到冲击，进而发生重洗、重组、重生，对市场变化、消费需求、经营模式、管理形态也同样要有新认识、新思维、新调整、新适应，也就是对市场发挥配置资源的决定性作用要始终保持清醒。而且，改革不能停步于浅层，比如：各地在陆续将旅游局改为“旅发委”，但尤为重要的是职能扩展，协调能力的本质性改变；又比如：各方面盯上了景区、农业、林业、环保、水利部门都在评等级、发牌子、旅游主管部门的作为空间何在？调控手段怎样？再比如：旅游厕所革命让全社会表达了敬重，但这需要各行业的共同行动，形成合力，以及厕所的布局、布点的表象性与长久实用性的关系问题；还比如：旅游统计如何提高科学性和可信性、可比性问题；仍比如：国庆黄金周还有旅游行为过程中各类利益的摩擦、纠结、冲突难以避免，而旅游部门和旅游人的原责与实责又该怎样区分？新业态风生水起，组建专业协会（俱乐部）等申请、审批的便利性如何解决等。

发展是硬道理，坚持正确的方向，坚持典型的引领才是刚刚开始，不可懈怠松动。全域旅游是篇长文章、大工程，乡村旅游对新农村建设、决胜扶贫攻坚和美丽中国的历史性进程是一项决定性任务，要列上重要议程。

各地坚决响应国家旅游局的全面部署，维护好方兴未艾的发展态势，保持与国家局的北京时间“对表”，我们的态度是：不改革就不能前进，不开放就无法生存，不创新就难以升级，不坚持就不会成功！

第三组发言材料

（2016年1月30日）

广西壮族自治区旅游发展委员会主任　陈建军

受第三组全体代表的委托，现作小组汇报发言。

我组全体代表一致认为，本次会议开得很有广度和深度，是层次最高、涉及面最广、参会人数最多的一次全国旅游工作会议。国家旅游局在争取党和国家领导人以及各方支持方面很有力度、强度。党和国家领导人对旅游业的重视和关注度空前，领导的批示越来越多，相关政策出台越来越多，重要会议讲到旅游也越来越多，旅游业在全国的地位显著提升。会议工作报告理念新、思路新、手段新。2016年布置的工作更有精度和细度，共有54项任务，26个专项行动方案，既有明确的目标，清晰的任务，还有到位的举措，使我们回去即可以抓落实。

大家在讨论过程中提出了以下建议：

1. 旅游业作为战略性支柱产业一定要加快顶层设计，制定国家旅游战略，召开全国旅游发展大会，将旅游业作为实现中国梦的主要内容和重要载体来发展。

2. 要加强旅游市场主体的培育和壮大，要通过政策等有效手段积极支持企业做大做强，尤其要关注民营企业的投入，充分发挥龙头企业的带动作用，建立优胜劣汰机制，解决现阶段旅游企业弱、小、散等问题。

3. 在旅游服务国家外交的同时，要更加重视推进国际旅游市场的开发，加大整合资源、打造品牌、精准营销的力度，特别是加强与新媒体的互动，努力实现全国各地在国家局领导下共同、统一开拓国际市场。

4. 要进一步加大对各类政策的研究和统筹协调力度，争取更多的政策能够真正落地。

近几年，有关旅游业的各类政策出台很多，但真正落地发挥效应的还不太多。

如国发〔2015〕72 号文件、《国务院关于支持沿边重点地区开发开放若干政策措施的意见》提出的改革边境旅游管理制度，发展跨境旅游合作区和边境旅游试验区，推进人员往来便利化和促进运输便利化等都是很好的促进旅游发展的政策，但这些政策落地需要国家十几个部门的沟通协作才能实现，因此需国家局加大统筹协调力度。

5. 进一步加强用法律手段来解决旅游市场中存在的问题，尽可能减少使用行政手段来开展市场整顿，应鼓励、引导相关当事方通过旅游法庭、旅游综合调解等来解决，以提高旅游业界“依法治旅”的意识和水平。

6. 大家还关注到，导游管理体制改革、2.5 天休假模式等与现行法律法规有一定矛盾。是否能有一个比较明确、统一的改革思路，以便各地在制定《旅游条例》中更好地体现这些改革的精神。

7. 要加快制定实施《乡村旅游扶贫工程工作方案》，制定出台更加明确、易于落地的政策保障措施，进一步加大对贫困地区在旅游基础设施、公共服务设施建设以及乡村旅游人才的培养力度。

最后，大家纷纷表示，一定要把这次会议的精神带回去，认真组织学习，深刻领会精神，结合当地实际，全力贯彻、落实，为增强产业自信、行业自信、事业自信而努力奋斗。

第四组发言材料

（2016 年 1 月 30 日）

宁夏回族自治区旅游发展委员会主任　徐晓平

受第四组全体代表的委托，现作小组汇报发言。

通过讨论，大家一致认为，这次会议为去年的全国旅游工作交上了完美的答卷。工作报告从 15 个方面对去年的工作进行了全面总结，成绩有目共睹、难能可贵。一年来，全国上下深入实施“515 战略”，10 项重要工作有序推进，52 项措施扎实有效，实现了 55 项重点突破，办成了一系列大事、难事、喜事，极大地增强了我们的产业自信、行业自信和事业自信。

通过讨论，大家一致认为，这次会议是一次思想的大洗礼、认识的大解放。会议工作报告深刻剖析了“十三五”时期全球旅游发展五大趋势、我国旅游发展六大机遇，指出了我国旅游业发展面临的困难和挑战，极大地开阔了大家的视野、拓展了大家的思路，是新形势下解放思想、转变观念的一场头脑风暴，大家感到从未有过的充实和振奋。

通过讨论，大家一致认为，这次会议为今年及“十三五”的工作描绘了一张宏伟蓝图。会议工作报告通篇体现了发展全域旅游的思路，既立足中国实际，又饱含理性思考，既有理论提升，又有实践指导，为推进我国旅游业科学发展、加快发展、转型升级、提质增效指明了方向。大家感到发展的任务更重了、肩上的责任更大了，同时也感到中国旅游发展机遇难得、前途光明。

通过讨论，大家一致认为，这次会议提出的系列“组合拳”必将掷地有声。会议工作报告提出了“十三五”我国旅游业发展的思路和主要任务，明确了今年的 15 个方面 54 项重点工作，重点突出、环环相扣，契合中国旅游发展实际，符合地方旅游发展需要，必将在全国掀起新一轮旅游发展的热潮。

通过讨论，大家一致认为，这次会议体现了务实的作风、良好的会风。报告信息量非常大。今年的 15 个方面 54 项重点工作，个个有安排、有措施、有要求，特别是导游管理改革等工作很接地气、很人性化，大家都很期待。

在讨论的过程中，大家也提出了一些很好的意见和建议，主要是希望国家旅游局进一步加大对地方旅游发展的指导，支持地方举办一些富有区域民族特色的重大节会；希望国家旅游局进一步加大入境游市场开拓力度，协调国家有关部门尽快落实 72 小时落地免签政策，在中东国家设立国家旅游局办事处；希望国家旅游局进一步加大统筹规划，支持地方重大旅游项目建设；希望国家旅游局进一步健全旅游统计指标体系，切实体现大数据在旅游发展中的作用；希望国家旅游局稳妥推进导游管理体制改革，促进旅游市场健康有序发展。

第五组发言材料

（2016年1月30日）

湖北省旅游发展委员会主任　钱远坤

受第五组全体代表的委托，现作小组汇报发言。

在2015年全国旅游工作“515战略”部署会上，很多同志都感到国家旅游局频道新、理念新，我们认识跟不上，脑子受不了；频次高、任务多，难以消化，我们胃受不了；也由于国家局频率快、出手重、作风实，我们步伐跟不上，腿受不了。一年来，很多同志都感到我们初步适应了，这是因为：我们“吃了脑白金”，被洗脑、也在洗别人的旅游脑，神清目明；我们“吃了消食片”，健了胃，吐故纳新；我们“吃了钙片”，补了钙，强筋壮骨。全国旅游战线的同志们在榜样力量的感召下，内打基础、外树形象，全面实施“515战略”。这一年，高层领导批示之多，亲临活动之频，国家局协商各方力度之大、社会关注度之高、行业影响力之强，实属罕见。用陕西杨局长的话讲，没有这种激情，没有这种责任，不可能有洋洋洒洒的60页54条具体措施，这种担当担难、善作善成的做法，与当前有些部门倦政、怠政、懒政形成鲜明对比。我们的会议还没结束，富有激情、内涵丰富的会议工作报告已在全行业、全社会起到了“煽风点火”的作用，也印证了社会上对中国旅游“风生水起、热火朝天”的评价。

本组在讨论中，大家深深感到，这次会议的本身、会议所提供的材料、会议工作报告和智库学术报告，如果用一句话来表达，叫作：旅游强国的“精气神”。

所谓“精”：就是创新举措，精彩展示，可圈可点；全球旅游五大趋势，中国旅游六大机遇，论述精辟，入情入理；26 项专项行动计划，谋划精准，创新务实。

所谓“气”：就是体现“三大自信”的底气、纵横捭阖的大气、落细落小的地气。

所谓“神”：就是潜神嘿规，凝神聚力，全国一盘棋、上下一条心，共同谋划旅游发展大业。

大家在讨论中就体制机制改革、产业升级版、全域旅游的标准制定和工作推广；市场秩序规范、导游的管理创新等问题发表了很多意见，已报告会务组。

在昨天的会议上，我们学习了李克强总理的重要批示和汪洋副总理的重要讲话，都感到，这是我们在经济新常态下，推进旅游供给侧结构性改革、推进全域旅游发展的方向引领。回去后，大家一定认真贯彻落实好会议精神，按照 26 项行动计划的规定动作和创新自选动作，做好旅游强县地方版的落实，主要是做好三个问答题。

一是为什么经济下行而旅游逆势上行（下与上的关系），怎样发挥旅游消费对经济增长的拉动力？

大家分析，中国旅游发展阶段与欧美不一样，这是因为旅游发展的“排浪潮”与经济新常态下的“回头潮”遭遇而形成的。旅游是消费升级期的共享蛋糕；是动能转换期的绿色动力（传统资源消耗型到创新驱动型）；是转型阵痛期的温馨港湾；是旅游融合期的转型跳板。

所以当人们的精神文化消费占主导地位的时候，当人们想返璞归真、消除成长中的烦恼的时候（逃离城市），我们应把握旅游作为经济发展的“加速器”、社会和谐的“润滑剂”、生态文明的“催化剂”、对外交往的“压舱石”的综合作用。

当前的重点是，旅游在“四化”同步进程中如何成为现代农业的“高端卖场”，城乡一体的“共享秀场”，后工业化的“绿色转场”，信息化的“强力磁场”，较好地起到旅游消费对经济的拉动作用。

二是为什么旅游产业规模这么大，还有供给不足的问题（多与少的关系），怎样用全域旅游的理念推进旅游结构性改革？

1. 汪洋副总理在讲话中提出的“两期交织、两个跟不上”（发展黄金期、矛盾凸显期，旅游供给跟不上消费升级需求，政府治理水平跟不上旅游市场发展步伐）是主要矛盾，也就是旅游发展非规模不够，而是结构不优：供需错位、供需错配、供需抑制等，不能适应多元化、个性化、智慧化市场需求。

2. 还有一个就是：“有与没有、喜欢不喜欢”是矛盾的主要方面。我喜欢的你有吗？你有的我喜欢吗？说明了旅游如何转型升级问题。

所以，今年国家局提出全域旅游，大家认为这是供给侧改革的重要抓手，顺应了李克强总理提出的发挥旅游消费对经济增长的拉动力，乡村旅游对脱贫致富的带动力，绿色发展对美丽中国展现力的要求。这叫发挥“三力”作用，用全景思维、广角思维来推动全域旅游，做到各美其美，与人之美、美美与共。

三是为什么供给侧改革的五大任务，旅游业可以助力（推与拉的关系），怎样体现旅游的行业担当？

中国经济转型当前存在“刮毒疗伤”的架势，而旅游在其中是起到“活血化瘀”的作用。

去产能——使高消耗的产能转型中劳动力向服务业转移；

去库存——房地产的库存用旅游地产、主题酒店、网络酒店、康养基地等来消化；

去杠杆——旅游是防范金融风险寻找未来价值的有效遵循，在防范投资泡沫中起到缓释作用。

降成本、补短板——正体现的是旅游的风度。

旅游扶贫的担当，不是唱悲情剧，而是唱喜剧。“沉重的话题可以用轻松的姿态去阐释，艰巨的任务可以用休闲的方式去担当，少数人的贫困可以用多数人的参与去消解”。旅游是扶贫的翅膀，扶贫是旅游的战场。要让贫困人口实现有尊严的脱贫。现在许多地市、县的领导在新形势下对旅游也有了新的认识，即：“一部分人的休闲，就是另一部分人的就业机会”；“一次有效的旅行，就是一次 GDP 的生产过程”；“一次接待游客的服务，就是一次地域文化和对外开放水平的展示”。

前不久，我们刚刚读到习近平同志**《知之深，爱之切》**一书：其中有一篇发表在 1984 年 6 月 17 日《人民日报》上的通讯《正定翻身记》，讲的是 20 世纪 80 年代初，正定为了发展商品经济，瞄准正定距离省会城市石家庄的区位优势，提出了既为城市服务，又“掏城市腰包”，在服务中发展自己的**“二十字经”，即：“投其所好，供其所需，取其所长，补其所短，应其所变”**。我认为用在旅游供给侧结构性改革上，恰到好处。

“投其所好”，就是要投消费升级阶段需求之所好；

“供其所需”，就是供游客多元化、个性化、智慧化消费之所需；

“取其所长”，就是取本区域战略优势之长、区位优势之长、资源优势之长，走差异化、特色化发展之路；

“补其所短”，就是在补自身之短的同时，通过融合发展补其他行业之短，补全国之短；

“应其所变”，就是应对新常态，“凡益之道，与时偕行”，在推进国民休闲纲要的旅游升级时代，旅游出游产生的 GDP，就是我们旅游人干出的 GDP，就是“颜值较高、三围较好、内涵优质”的绿色 GDP，这就是旅游的行业担当。

我们湖北也正按国家局的号召，积极打造“绿绿葱葱”、“红红火火”、“花花世界”、“荆荆有味”、“楚楚动人”的灵秀湖北特色旅游目的地。

第六组发言材料

（2016年1月30日）

四川省旅游局局长　郝康理

受第六组全体代表的委托，现作小组汇报发言。

一、亮点体会

关于会议工作报告，大家给予了高度评价，可用五个“更加突出”概括：一是更加突出使命担当；二是更加突出改革创新；三是更加突出旅游惠民；四是更加突出问题导向；五是更加突出平台打造。

关于2015年度工作，可用四个“前所未有”概括：一是产业地位提升前所未有；二是产业影响前所未有；三是产业领导前所未有；四是关心支持基层前所未有。

国家旅游局班子带领全国旅游系统争取各方支持，取得显著成绩，工作部署务实有力。同志们表态，完全赞成会议的工作报告，要迅速坚决抓好贯彻落实工作。

二、问题导向

第一，部分地区对“全域旅游”、“旅游扶贫”等概念、内涵、范围、重点存有疑惑。

第二，关注如何将旅游工作纳入地方党委政府重要议程，还需创新工作，探索新路径。

第三，各地统计工作缺乏国家旅游局统一、科学的旅游统计方法和制度。

三、工作建议

（一）对全域旅游进行系统研究部署，作为系统工程，有计划、分步骤推动

1. 从学术界、企业界、政府部门进行一系列宣贯，形成共识。

2. 调动和推动地方政府成为“全域旅游”的主导者。

3. 要变“旅游 +”理念为各行各业“+ 旅游”的自觉行动。

4. 向国务院领导汇报，争取支持，将“全域旅游”列为国家发展战略。

5. 与组织部门联动，大规模对各级党委政府一把手培训，对全国各级旅游局长专业培训。

6. 在“十三五”旅游规划和有关部门行业规划中体现全域旅游布局。

（二）对“十三五”旅游规划工作的建议

迅速与“十三五”国家国民经济社会规划、涉旅部门行业规划有效对接。使“旅游 +”在国家和涉旅部门规划中更多体现，抓实“上下左右”的工作推动。

上：抓紧对接国家十三五国民经济社会规划。

左右：对接相关部委行业规划，提出《需求建议书》。

下：对重点旅游发展区域、省市区提出《规划建议书》，推动纳入各地规划中。

（三）关于国家旅游局最近推出一系列重大举措和项目

建议对此分类指导，分项施策，分区发力，突出重点，持之以恒，形成长效机制。我们实践中，归纳为以下几类：

一是产品品牌类。要充分发挥市场决定性作用，调动各方力量协同推进。如国家旅游度假区、中国国际特色旅游目的地、中国研学旅游目的地等，应纳入国家对内对外推广品牌体系，持之以恒宣传营销。

二是行业重点工作类。各地旅游部门是牵头责任主体，要持续发力，由工作推地方动转变为品牌塑造。如万名旅游英才计划、中国旅游志愿者、乡村旅游扶贫等工作，不仅要抓好工作，更应培育成为品牌。

三是地方政府重要工作类。要切实发力精准，部署到位，要把旅游部门单一推动转变政府全面推动，明确地方（目的地）政府成为责任主体。如国家绿色旅游示范基地等一系列基地、示范区、全域旅游示范区等创建，都应是政府牵头项目。

四是成绩荣誉类。要把成绩荣誉类形成制度化，并推动各相关政策跟进改革。如“中国好导游”应变成一种职业等级，鼓励行业从业人员提升；“千千万万”乡村旅游等荣誉，应与政策帮扶、项目支持、品牌宣传有机结合。

（四）建议国家旅游局及有关司室部门加强专业座谈会和典型现场会，更好地指导基层工作

一是建议召开旅游管理体制座谈会，指导正在组建和待组建旅游发展委员会的省市区，指导发挥综合协调作用，指导旅委处理好相关部门的关系。二是建议召开若干片区旅游扶贫现场会、全域旅游示范区现场会，及时总结典型，推而广之。

（五）为西部和欠发达地区发展旅游搭建招商引资和宣传营销平台

指导西部地区把已有的宣传营销平台纳入到国家对外宣传营

销体系。如指导大香格里拉、丝绸之路旅游推广联盟切实发挥作用，成为国家品牌。

（六）把“大熊猫”品牌作为国家旅游品牌持之以恒用力

大熊猫是中国的，更是世界的。是可以作为家喻户晓、具有全球号召力的世界品牌。建议把“美丽中国－大熊猫家乡之旅”作为国家旅游线路推广。

第五篇

2016 年全国旅游工作会议总结

凝神聚气　实干强旅
将“515”战略和 2016 年工作部署推进到底

——在 2016 年全国旅游工作会议上的总结讲话

（2016 年 1 月 30 日）

国家旅游局副局长　吴文学

经过全体与会同志的共同努力，2016 年全国旅游工作会议圆满完成各项议程，今天下午就要结束了。现在，受金早局长和党组委托，我对会议情况作一个总结。

一、会议的收获与体会

今年是全面建成小康社会、实现我们党确定的“两个一个百年”奋斗目标的开局之年，也是“515 战略”深度实施攻坚克难之年。这次会议尽管是一次年度工作会议，但是行业上下和社会各界十分关注、非常期待，这次会议承上启下、继往开来非常重要。

昨天上午，金早局长代表局党组做了一个非常好的工作报告，报告系统总结了“515 战略”实施一年来我们的行业、产业、事业在十五个方面发生的巨大变化和取得的成绩，科学分析了未来五年全球旅游的“五大趋势”、我国旅游的“六大机遇”和“十五个不相适应”及“五期叠加”的基本国情，明确提出了今年旅游工作的目标、任务。刚才，六个小组的召集人分别报告了本组的讨论情况。这里我做一简要的汇总梳理：

一是新精神，新气象。这是大家对此次会议的第一感受。如果说去年“515 战略”发布之后，有一些地方、有一些人还有“等一等、看一看”想法的话，那么经过一年的观察和切身感受，大家一致感觉旅游部门由原来的“偏安一隅、过小日子”实现了向“占领主战场、勇做主力军”的转变。按照武侠小说中的说法就是“有一种打通了任督二脉的感觉”，行业上下焕发出“唯有豪情多壮志，敢叫旅游展新颜”的新精神和新气象。

用大家的话说，就是感觉“精气神满了，劲头大了，干劲足了”。这一点对行业上下而言尤其重要，特别是在旅游行业工作时间比较长的老同志，多年来已经习惯了“小国寡民”的工作状态，说句不客气的话“不仅别人瞧不起我们，甚至我们自己都瞧不起自己”。但是，这一年的经历，大家感觉整个行业的“风向”变了，活力足了，视野开了。李克强总理重要批示指出：“2015年全国旅游系统开拓创新，各项工作都取得了新进展”。汪洋副总理对旅游工作予以突出肯定。如果说去年旅游工作会议上提出的“行业自信、产业自信、事业自信”还是一种理念和方向的话，那么经过一年的实践，现在这“三个自信”已经在全体旅游人心中扎根，发芽，假以时日，必将枝繁叶茂，开出绚烂的美丽之花。

二是新天地，新格局。前一段时间，国家旅游局评选出了2015年中国旅游十大新闻、十大新闻人物和世界旅游十大新闻，金早局长称之为“破天荒之举”。昨天，在旅游发展史上，我们首次为这十大新闻人物以及评选出的中国好导游、好游客和“万名英才”代表颁了奖。他们只是数千万“旅游圈”的典型代表，但是每一个人背后都是一个催人奋进的故事，都是2015年波澜壮阔旅游业发展的生动见证。这次颁奖，让大家备受鼓舞，也表明了国家旅游局“同心协力、共建旅游”和“放眼全球、开放兴旅”的新视野和新思维。

格局昭示方向，方向凝聚力量。一年来，以春节刚过就在桂林召开的全国旅游厕所工作现场会为“当头炮”，以国务院62号文件、中国旅游产业促进座谈会、首届旅游+互联网大会为“加速器”，以全国乡村旅游提升与旅游扶贫推进会议和省部级干部专题研讨班为“先手棋”，以日本三千人访华、中韩旅游年、中国－中东欧旅游年等旅游外交大事为“扩音器”，旅游格局天翻地覆。用大家的话说：“短短一年，已经基本形成了与世界旅游大国地位相匹配的国际影响力，与大众化旅游发展相适应的社会影响力，与战略性支柱产业相吻合的决策影响力。”2015年在各级旅游部门的艰辛卓越工作下，我们以一件件扎扎实实的工作赢得了游客的支持和各级领导的重视，开辟了新常态下中国旅游业发展的新天地，形成了经济建设主战场、外交前沿等六大转变的新格局。

三是新状态，新作为。新常态要有新状态，新机遇要有新作为。旅游是公认的朝阳产业，但是因为发展时间短，部门成立晚，工作手段少，作为空间有限，以至于在我们行业中一直存在一种说法，说旅游是“朝阳产业，夕阳部门”。一年来的实践有力地驳斥了这种说法。本次会议大家已经注意到，省级旅游管理体制再度扩容，市级旅游综合执法体制不断创新，但这不是终点。

再比如“厕所革命”，一开始有人对此抱有“红旗到底能够打多久”的疑问。正所谓“喊破嗓子，不如甩开膀子”，国家旅游局一班人没有去做辩驳和争论，一级领着一级干，一级干给一级看。“星星之火，可以燎原”，“厕所革命”一经发动，就在全社会引起强烈反响，总书记也对此做出重要批示。按照习近平总书记的要求，厕所革命之火不仅要在旅游领域“烧”，还要“烧”到广大农村。现在，厕所革命之火还“烧”到了国外。

合抱之木，生于毫末；九层之台，起于累土。在讨论中，同志们一致认为：虽是短短一年，但旅游发展精彩纷呈，如与中组部、国家行政学院举办省部级干部旅游专题研讨班、实施游客不文明行为记录、设立旅游数据中心、强力推动旅游扶贫、发布旅游+互联网行动计划、出台旅游用地政策、推进旅游职业教育等。过去很多想了却没能做、甚至想都不敢想的事情正在变成现实，大家说是“一年干了过去若干年的工作”。

四是新动力，新发展。知其事而不度其时则败。大家感觉金早局长的报告“提神醒脑，凝神聚气；一以贯之，持续发力”。可以说，是五大理念指引下攻坚版和升级版的“515战略”。对于报告提出要把“全域旅游”作为新时期我国旅游发展的总体战略，全力做好的15个方面、54项重点工作的安排，大家一致表示赞同，认为这些工作“立足大局、聚焦重点，敢于担当、瞄准难点，汇集力量、突出亮点”，特别是报告提出的首届世界旅游发展大会、中美旅游年、旅游扶贫行动方案、全域旅游示范区、旅游投融资促进大会、全国导游工作会议、红色旅游三期规划、自驾车房车营地推进大会、跨境旅游合作区等，都是“干货和硬货”，信息量大、含金量高，必将再掀新一轮“515战略”冲击波。配套的26个专项行动方案，实现了“纵向到时段、横向到节点”的全覆盖，而且明确任务、明确司室、明确干法，有利于各地做到纲举目张，无缝对接。

现在大家的状态是斗志昂扬、充满力量，感觉到了“前所未有”的动力：一是连续两年，李克强总理都对全国旅游工作会议做出重要批示，这在国家旅游局的历史上是前所未有的。今年的批示要求“更好激发旅游消费对经济增长的拉动力，充分发挥乡村旅游对贫困地区脱贫致富的带动力，不断提升魅力中国的展现力”，这“三力”表明了中央对旅游的新定位、新要求和新期望，令人鼓舞，催人奋进。二是党的十八届五中全会、中央经济工作会议，在总书记和总理讲话中都明确提到“大力发展旅游业”，特别是总理的讲话把“促进旅游消费”放在扩大内需的首位，这种地位在旅游发展史上是前所未有的。三是会议邀请了6个设立旅委的省区市的分管领导到会介绍经验，旅游智库魏礼群主任还给大家授课“充电”，此外，会议还特别邀请了38个重点旅游城市的领导到会，下沉一级抓旅游，这种会议架构在国家旅游局的历史上是前所未有的。

总之，这次会议达到了凝神聚气、全面发力，团结一致、实干强旅的目的。大家相信，2016年的中国旅游必将在历史上留下更加浓墨重彩的一笔。

二、以“五大理念”统筹做好新时期的旅游工作

在讨论中，大家对于专项行动方案、“十三五”规划的修改完善提出了很多很好的意见，对于做好今年旅游工作也提出了很多建议，我们将认真研究和吸纳。做好2016年旅游工作，必须以

创新、协调、绿色、开放、共享的五大发展理念做好统筹。

一是以创新发展，统筹政府功能与市场机制。在讨论中，一些同志也提出，现在方方面面都很强调发挥市场在资源配置中的决定性作用，而我们的很多工作似乎更加强调和发挥政府的功能，这是不是和整个社会的发展潮流相冲突。我认为这个困惑带有典型性，但是却不符合旅游业的发展规律和发展趋势。众所周知，旅游是个高度市场化的产业，从行政准入的角度看，旅游部门已是行政许可很少的部门，目前仅有旅行社和导游还有准入门槛。应该说，对于市场，我们已经充分放权，但是为什么仍然发展不好，人民群众还是不满意呢？归根结底，在于旅游的主要矛盾和短板仍未解决。旅游发展最主要的矛盾是人民群众不断升级的旅游消费需求同滞后的旅游供给之间的矛盾，最大的短板是公共服务的滞后和综合治理的欠缺。供需矛盾的解决在市场，综合短板的补齐在政府，解决旅游供给侧问题，出路在创新，迫切需要做好政府和市场的统筹。

这次会议上，李局长发表了《全域旅游大有可为》的署名文章，把“全域旅游”作为经济新常态下和新时期我们抓旅游工作的战略统领，就是要适应旅游发展潮流和规律，优供给，建机制，补短板。这是适应和引领新时期旅游业发展的重大创新，是适应旅游发展新阶段扬弃传统旅游发展模式的主动选择，是更好、更主动、更全面推动旅游业发展的必然要求。所概括的全域旅游“八个方向的转变”，让人耳目一新。让我们注重发挥旅游城市功能，发挥旅游目的地作用，这进一步提高了认识，在新常态下仍需统筹好政府功能和市场机制的作用，重视和发挥政府抓旅游的积极性与主动性。我们要坚持“两手发力”。一方面，要发挥政府有形之手的作用，促进公共资源的均衡配置。另一方面，要发挥市场无形之手的作用，彰显各类资源要素的市场价值。

二是以协调发展，统筹产业发展与市场监管。事业壮大的根基在产业，在发展；事业健康的焦点在市场，在监管。在讨论中，一些同志提出报告把“全域、扶贫、投资、消费、旅游+、规划”等排在 2016 年旅游工作的前六位，“市场治理与文明旅游”只排在第七位。是不是意味着对去年发布的“515 战略”（把市场秩序和文明旅游排在前两位）的修正？我认为这不是修正，主要原因有两点：第一，515 战略是近三年乃至“十三五”时期我国旅游业发展的根本指针，2016 年工作报告是“515 战略”下的年度工作安排，两者是战略与战术、总体与局部的关系。第二，这是旅游行业贯彻落实中央经济工作会议和中央扶贫开发工作会议的具体体现。

汪洋副总理指出：旅游供给跟不上消费升级的需求，政府治理能力跟不上旅游市场发展步伐，这是旅游业面临的两个最突出矛盾。旅游市场秩序是社会各界关注的热点，也是人民群众对旅游业不满意的焦点。深入分析，旅游市场秩序乱象的表现在需求侧和消费侧，其根源在供给侧和生产侧。因此，必须标本兼治，重在治本。市场监管工作要伴随旅游发展全过程，旅游市场秩序关乎旅游生命力，治理旅游市场秩序要全国一盘棋，国家统筹，省负总责，以地市（目的地）为主，要客源地与目的地共同治理，线上线下同时治理，旅行社与导游一体治理，企业与从业者协同治理，重在模式创新，重在产业发展。

企业既是旅游供给的主体，也是市场治理的主体，要把旅游企业放在产业发展与市场监管的重要位置上。尽管我国旅游入出境和国内旅游总规模已经达到42亿人次，但是旅游投资才首次突破万亿级，与世界旅游发达国家相比，我们还缺乏若干千亿级和一批百亿级的旅游企业。2015年，我们在历史上首次对投资100亿元以上的十位民营旅游企业家颁发“飞马奖”。说实话，这些年来我们对旅游企业特别是龙头型、骨干型、创新型旅游企业关心不够、重视不够、支持不够、引导不够。希望各级旅游部门按照今年工作的部署，更加注重发挥旅游企业在产业发展和市场监管中的主体性作用。对于那些想干事、愿意干事、能够干事的地方和企业，我们的资金、政策就会给予优先安排、重点支持。

三是以绿色发展，统筹持久战与歼灭战。对于2016年的工作安排，一些同志感觉“压力山大”，但是也要看到这些年旅游短板比较多、“梗阻”比较多的现实状况。我们的发展既要还旧账、去梗阻、补短板，还要抓机遇，强创新，快发展。因此，要学会统筹兼顾，学会“弹钢琴”，对于长线工作要立足于打持久战，短线工作要立足于打歼灭战。比如，报告中提到统计、人才、厕所革命、市场治理、文明旅游、法律法规、体制机制等是持久战。以旅游统计和数据中心为例，这是我们最大、最突出、最痛心疾首的短板。在金早局长的亲自策划和协调下，国家旅游局数据中心得以正式设立。在《中国旅游大数据》创刊之际，金早局长更是亲自上阵，提笔撰写了《旅游要发展，统计要革命，数据要掌握》的创刊词。在旅游业中谓之以“革命”字眼的，这是继“厕所革命”之后的第二个，意义重大，影响深远。在创刊词中，对于数据中心成立，金早局长连用了“三个根本上”：“从根本上结束中国旅游业统计体系残缺和混乱的历史，从根本上结束旅游统计严重滞后于国家旅游发展战略的状况，从根本上结束我国旅游统计数据无法与国际接轨的尴尬局面”。可以说是饱含深情，寄予厚望。各地也要抓紧建立本地的旅游数据中心。我们与国家发改委已经明确，凡是省政府已经批准的旅游数据中心，全部列为“十三五”时期中央专项资金的重点支持范畴。政策来之不易，希望各地切实抓紧抓好，要像爱护自己的眼睛一样爱护数据中心。当然，全面小康型旅游大国的建成非一日之功，对于长线工作，我们要有“愚公移山”和“钉钉子”精神，在持久战中灵活运用歼灭战，持之以恒，久久为功，积小胜为大胜。

四是以开放发展，统筹引进来与走出去。在讨论中，一些同志提到 2015 年我国入境旅游人数实现 1.3 亿人次，出境旅游 1.2 亿人次，经过改革开放 37 年的发展，入出境的人数已经相差无几，近几年将有可能出现对等甚至出超。对此，金早局长在省部级干部旅游专题研讨班上已经进行了科学分析。

一方面，我们要加大宣传促销力度，加强驻外办各方面建设，坚持入境导向的工作原则，落实好入境游客离境退税政策，大力促进入境旅游；又要积极探索有效方式，因地制宜，支持地方引进邮轮、游艇、房车、滑雪、缆车、大型游乐设施等中高端旅游制造企业和技术，实现从单一“游客入境”向“技术入境”并重转变。加快培育本土的旅游装备制造业体系，不断扩容旅游产业链。对于李局长报告中提出的“国家级旅游产业示范园区”，很多地方都表达出强烈的意愿。

另一方面，也要在“旅游外交”的大格局、大视野下，积极谋划和支持旅游企业、旅游标准、中国旅游发展模式、旅游人才等软硬件“走出去”，在国际旅游舞台上讲好中国故事、发好中国声音。在讨论中，一些旅游企业也从实际操作的角度谈了自己的看法。境外中资旅游企业是我国旅游企业的“海外军团”，对于丰富中国旅游外交新内涵，推进旅游企业发展新空间等具有十分重要的意义。当然，旅游企业走出去是一项长期性、战略性和系统性的工程，不可能一蹴而就。旅游企业要早谋划，早准备，并在人力资源、文化融合、项目选择、运营管理等方面做足功课。我们也要加大与发改、商务、金融等部门的沟通配合，切实加大对旅游企业“走出去”的支持力度；利用旅游年、旅游协议等方式，积极为中资旅游企业争取有关投资优惠和发展便利；驻海外旅游办事处也要加强市场调研和信息搜集，配合使馆积极做好中资旅游企业境外发展的协调和服务工作，使境外市场成为“新常态”下我国旅游经济和企业效益的新增长点。

五是以共享发展的理念，统筹改革试验与积累守成。在讨论中，有的同志提出国家旅游局的工作创新比较多、牌子比较多，这对于丰富和完善抓工作的手段体系、调动地方政府和企业的积极性是十分必要的，但是也有过多之嫌。对此，我们必须看到这十几年来旅游业发展十分迅猛，但我们对很多旅游新业态、新产品、新趋势认识不够，研究不够，支持不够。但一些地方和部门的涉旅创新却已经走在了我们前面，如果我们再不奋起直追和超前布局，就很有可能失去在旅游新业态上的话语权、主导权。在创新、开放、共享的市场经济条件下，原有的“地盘”观念和“割据”态势基本上已经失灵，所谓先有才能占有，得品牌者得天下。比如，去年我们推出的国家级旅游度假区、全域旅游示范区、飞马奖、旅游价格信得过景区、旅游志愿者、旅游业改革创新先行区、万名旅游英才等，一经推出就得到了地方、企业和社会各方面的高度认可与强烈回应。

唯创新者进，唯守成者强，唯创新守成者胜。所以，推进“515 战略”，做好 2016 年工作，我们一定既要善谋，也要善守；既要举旗占地、攻城略地，也要精耕细作、用心培育。守成，不是守旧，而是“大破”之后的“大立”。对于报告中提出的跨境旅游合作区、国家级旅游产业示范园区、中国国际特色旅游目的地、国家旅游休闲区、旅游休闲示范区、红色旅游创新发展基地、国家绿色（蓝色、人文、康养）旅游示范基地等创新，包括去年已经开展的一些工作创新。各司室既要做好顶层设计、积极试点、扎实推进，又要相互协调、突出内涵、区分外延，更要树立“十年磨一剑”的意识，把这些创新在实践检验和修正的基础上，逐步做到标准化、品牌化、体系化、规范化和制度化。做到外化于产品，内化于制度，要让战术武器战略化。

总之，我们要跟上时代步伐，解放思想，更新观念，增强崇尚创新、注重协调、倡导绿色、厚植开放、推进共享的思想和行动自觉，努力实现更高质量、更有效益的管理发展。

三、抓好会议的贯彻落实和岁末年初工作

1. 把会议精神汇报和传达贯彻好。临近春节，各项工作都比较繁忙，大家回去后，都要抓紧时间把 2016 年全国旅游工作会议的精神向党委、政府汇报好，积极争取党政主要领导和分管领导的支持。及时组织传达学习会议精神，统一班子思想认识，研究提出贯彻措施，分解任务、明确责任、及早部署。特别是要采取多种方式将会议精神尽快传达到行业基层，做到层层传导压力，倒逼增强动力，最终形成推动旅游业发展的强大合力。

2. 把会议宣传报道好。过去的一年，我们各级旅游新闻机构和新闻媒体很给力，对于旅游的报道既有热度，也有深度；既有质量，也有规模；既报亮点，也戳痛点，极大争取了社会各界对旅游改革发展的关注和热议。在此，我要代表大家向你们点一个大大的“赞”。这几天，关于本次会议的报道精彩纷呈。接下来，新闻办要再接再厉，结合春节旅游热潮，可以策划若干专题把本次会议的亮点结合起来报道。各地在做好自身研判的基础上，搞好自己的宣传工作。

3. 做好“十三五”规划和专项方案修改工作。编制和发布好“十三五”旅游规划，是今年旅游工作的一件大事。这次规划列了很多专栏，请大家认真对接完善。在李局长的推动和协调下，规划已列入“十三五”国家重点专项规划，要在年内报国务院审议后发布，这在旅游发展史上是前所未有的。编制好“十三五”旅游规划意义重大，各地要高度重视，要把规划内容和发布形式放到同等重要的位置上来，切实抓紧抓好。对于 26 个专项行动方案，各司室根据大家的意见，尽快修改完善和印发，便于上下衔接，协同推进。

4. 做好旅游安全和应急工作。春节临近，各种旅游节庆活动陆续登场，各地也逐渐进入旅游接待和出境旅游高峰。各地要按照本地党委政府的统一部署和安排，强化属地责任，强化部门联动，切实做好旅游安全的检查排查、信息发布和提示告诫工作。要安排好假日的值班值守，认真处置 12301 投诉咨询，特别要做好旅游安全应急预案工作。

此外，本次会议之所以选在海南召开，主要是考虑这几年海南旅游工作做得好，在旅游管理体制改革、全域旅游、旅游警察等方面做了很多探索和创新，成为全国的排头兵。昨天上午，刘赐贵省长介绍了海南的旅游发展经验。接下来，还有全国旅游市场会、市场治理现场会在海口和三亚召开，就是要让各地学习借鉴海南旅游的经验与模式。为了开好这些会，海南旅委和方方面面做了大量的工作。在此，让我们以热烈的掌声对他们的辛苦付出表示感谢！

还有八天就是春节了，春节寓意着新的开始和希望。过去的一年，方方面面对我们的工作给予了极大的关心和支持，这是我们攻坚克难的动力之源。在此，我代表国家旅游局党组和全体同志，向新闻媒体的朋友们拜年、向旅游企业拜年、向旅游行业广大干部职工和全体从业人员拜年、向关心和支持旅游发展的兄弟部门、各级政府和广大游客拜年!

会议马上就要结束了，但大家还意犹未尽，心潮澎湃。让我们在以习近平同志为总书记的党中央的坚强领导下，按照本次会议的部署，凝神聚气，实干强旅，将“515”战略和2016年工作的各项部署推进到底，确保实现“十三五”旅游发展开好头、起好步！

责任编辑：郭海燕
责任印制：冯冬青
封面设计：中文天地

图书在版编目（CIP）数据

从景点旅游走向全域旅游 / 国家旅游局编. -- 北京：中国旅游出版社，2018.1
ISBN 978-7-5032-5938-8

Ⅰ. ①从…　Ⅱ. ①国…　Ⅲ. ①旅游业发展－发展战略－研究－中国　Ⅳ. ①F592.3

中国版本图书馆CIP数据核字（2017）第297908号

书　　名：从景点旅游走向全域旅游

作　　者：国家旅游局编
出版发行：中国旅游出版社
（北京建国门内大街甲9号　邮编：100005）
http://www.cttp.net.cn　E-mail:cttp@cnta.gov.cn
营销中心电话：010-85166503
排　　版：北京中文天地文化艺术有限公司
印　　刷：河北省三河市灵山红旗印刷厂
版　　次：2018年1月第1版　2018年1月第1次印刷
开　　本：720毫米×970毫米　1/16
印　　张：11.5
字　　数：120千
定　　价：46.00元
I S B N　978-7-5032-5938-8